Wolfgang Stephan

Impressum:
© 2023 MCE Verlagsgesellschaft mbH & Co. KG
(Medien Contor Elbe)
Sietwender Straße 73, D-21706 Drochtersen, Tel. 04143/435
Internet: www.mce-verlag.de, E-Mail: info@mce-verlag.de
1. Auflage April 2023
Verantwortlich für den Inhalt: Ralf Wünsch
Alle Rechte sind dem Verlag vorbehalten!
Entwurf, Satz und Layout: Sven Ulrich, Medienzentrum Stade
Druck: Silberdruck, Kassel
ISBN: 978-3-93097-58-8

Wolfgang Stephan
im Gespräch mit Ralf Wünsch:

Von ganz unten nach ganz oben

Ein Leitfaden für den Erfolg
im Network-Marketing

Inhaltsverzeichnis

DER PROLOG

Es ist der Tag vor dem Viertelfinale der Fußball-WM in Brasilien. Deutschland gegen Frankreich. Ich traf spät mit dem Flieger vom deutschen Quartier Campo Bahia aus Porto Seguro in Rio ein. Was dann geschah, stand am nächsten Tag in vielen deutschen Tageszeitungen. Meine Kolumne über eine schicksalhafte Begegnung im Fahrstuhl:

„Es war schon fast dunkel, als wir in Rio de Janeiro eintrafen. Das Estadio de Maracana war meine erste Station. Pressekonferenz mit Bundestrainer Joachim Löw. Danach ging es mit Metro und Taxi ins Hotel Atlantico de Rio, ganz in der Nähe der Copacabana. Im Fahrstuhl traf ich einen Mann im deutschen Trikot. Kurzes Gespräch bis zur 3. Etage, wo lässt sich am Abend einigermaßen preiswert an der Copa speisen. Alles in unmittelbarer Nähe, fußläufig zu erreichen, alles nett, Brasilien halt. Ok, danke, vielleicht sehen wir uns.

Gut, die Copacabana am Abend ist nicht das große Erlebnis, touristisches Halligalli in allen Gassen, Strandverkäufer, Strandbuden, Beach-People. Der Hunger drängte, die Lokale waren alle völlig überfüllt, vor allem mit Deutschen und Franzosen. Irgendwann auf dem suchenden Weg nach einem freien Tisch traf mich ein Arm. Meine Fahrstuhl-Bekanntschaft. „Na, wie geht's?" „Mit einem Essen könnte es besser gehen." Kein Problem für den Herren. Ralf, wie er sich vorstellte, war zwischen einer brasilianischen Meute netter Damen und einigen Typen mittendrin in seinem Element zwischen Tintenfisch, Kartoffel-Auflauf und

Lachs-Carpaccio. Und Ralf wollte teilen. Mitten in Rio, mit einem Typen, den er gerade mal ein paar Minuten gesehen hatte. Aber der für ihn auch einen Mehrwert hatte. Ein Journalist als Insider. Wir begegneten uns freundschaftlich, ich stillte Hunger und Durst, dazwischen wollte Ralf alles über die deutsche Mannschaft wissen. Wie ist der Jogi so, sind Schweini und Poldi wirklich lustige Typen, wie ist die Mannschaft drauf? Ich erzählte fröhlich, die Damenwelt wurde angesichts der von Ralf georderten Cocktails auch immer fröhlicher. Es war ein netter Abend, der irgendwann nach Mitternacht endete. Auf dem Fußweg ins Hotel kam endlich Ralf zu Wort. Also, der Kerl ist Vertriebler, weltweit erfolgreich mit einem Wunderprodukt, das so gut sein soll, dass ich mich fragte, wieso ich mein gesetztes Alter erreichen konnte, ohne Ralf zu kennen. Irgendwie ein interessanter Typ, der am Bodensee auf der Schweizer Seite wohnt und kurzfristig gen Rio gestartet ist. Die Frau besuchte gerade die Tochter in der Pfalz. Da kann ein Mann schon auf ungewöhnliche Gedanken kommen. Ein Spiel im Estadio de Maracana sei schon immer ein Traum von ihm gewesen. Also, ab nach Zürich, Flug nach Rio. Eine Eintrittskarte zum Viertelfinalspiel hatte er zunächst noch nicht, aber nach einem Spaziergang am Strand den entsprechenden Handel vollzogen. 600 Euro wechselten den Besitzer, ein Brasilianer weniger im Stadion. Schnell waren wir beim Thema Sport. Welche Mittel ich so nehme, um meine Vitalfunktionen zu fördern? Hm. Ich musste passen. Nach zehn Minuten war ich mir nicht mehr sicher, ob ich wirklich noch existiere, wie ich meine Marathons geschafft habe, ohne dieses Lebenselexier für mehr Energie, zur Stärkung des Immunsystems und zur Regeneration jemals zu mir genommen zu haben. Ich fühlte mich schlagartig schlapp. Zur Aufzählung der Liste seiner Kunden reichte der Weg zum Hotel nicht ganz. Von den Handball-Bundesligastars bis zu den Olympiasiegern und den Fußballern. Ja Fußballer. Drei der Spieler aus dem WM-Kader gehören zu den Kunden seines Wundermittels. Der Rest leider nicht.

Langsam fing ich an zu begreifen, warum sich unsere Jungs in den Spielen gegen Algerien und Ghana so schwergetan haben. Als Journalist, da war sich Ralf in der Hotel-Lobby ganz sicher, gehöre ich unbedingt zu seiner Zielgruppe, denn nach dem ganzen Reisestress und dem Texten müsste ich garantiert abgespannt sein. Sein mitleidiger Blick auf den vor ihm am Fahrstuhl stehenden Schreiberling ließ keinen Widerspruch zu. Gut, ich habe dem Moment beim Frühstück nicht gerade entgegengefiebert, aber leicht magisch war die Szene schon, als der Herr mir einen Drink, er nannte ihn Powercocktail, beim Frühstück geradezu liebevoll anrührte. Ob sich mein Leben jetzt wirklich verändere?
Ralf Wünsch war sich sicher.

Ralf im Maracana.

SZENEN
WECHSEL

15

Februar 2022. Wir sitzen im Garten eines Reihenhauses in Ras Al Kaimah, einem Emirat der Vereinigten Arabischen Emirate, gut 80 Kilometer östlich von Dubai. Es ist eine der Destinationen von Ralf Wünsch, mit dem ich seit diesem 4. Juli 2014 eine Männer-Freundschaft pflege. Warum ich eine Biografie über einen anderen Hamburger Unternehmer geschrieben habe, ohne ihn vorher zu fragen, rief er mich etwas vorwurfsvoll im vergangenen Jahr an. Ich dachte, es wäre ein Scherz. Ja, wir hatten einmal darüber gesprochen, dass ich seine Erfahrungen im Network-Marketing in einem Buch verarbeite. Es war aber kein Scherz. Der Mann ist ein Fighter von leicht zu unterschätzender Leidenschaft, wenngleich ein Hauch von Gelassenheit Einzug in sein Leben gefunden hat. Aber nur ein Hauch.

Absprachen mit Ralf Wünsch müssen eingehalten werden. Das weiß ich spätestens seit diesen Tagen in Ras Al Kaimah, die unter einem besonders guten Stern standen. Vor mir saß einer der erfolgreichsten Führungskräfte des deutschen Familienunternehmens PM International aus Speyer. Einer, der seit Jahren weltweit zu den Top Führungskräften des Unternehmens gehört, bis 2020 im TOP 25 Ranking National und International sogar die Nummer 3. Im Team der Champion's League Member mit einem Jahresumsatz von über 250 Millionen im Jahr 2021 stand er jetzt kurz davor, eine seiner größten Wertschätzungen seines

Lebens zu erfahren. Eine Bestätigung seiner Lebensleistung. Ralf Wünsch hatte eine Einladung erhalten:

**Es wäre uns eine Ehre, wenn Du mit uns
an der Preisverleihung am 19. April 2022,
18 Uhr in Dallas teilnehmen würdest,**

schrieb Rolf Sorg, Gründer und Vorstand der PM
International. „Um die Buchung der Flüge werden
wir uns in deinem Namen kümmern", stand in der
Mail. Von den vielen 100.000 Vertriebspartnern in aller Welt zu den 10 Personen zu gehören, die mit dem
Firmengründer am Tisch sitzen, sei unfassbar, sagt
Ralf Wünsch. „Eine unglaubliche Wertschätzung",
interpretiert er diese Einladung des Firmenchefs von
PM, mit dem ihn nicht nur das Geschäft verbindet.
Wenn Ralf Wünsch über PM redet, dann spricht er
von „unserem und meinem Unternehmen". Wenn er
die Entwicklung in den vergangenen Jahren beschreibt,
bekommt er glänzende Augen. Stolz? „Ja." Die Antwort
kommt sofort. Stolz auf das Unternehmen, aber auch
stolz auf seine eigene Leistung, denn wer bei PM in
der Vertriebsposition Champion's League mitspielt,
hat Minimum einen Monatsumsatz von einer Million
Euro mit seinem Team aufgebaut. Die Aufwärtsent-
wicklung des Unternehmens sei mit Zahlen belegt. PM
International ist seit Anfang 2022 weltweit in über 42
Ländern mit eigenen Niederlassungen aktiv. 2019 habe
das Unternehmen die erste Umsatzmilliarde erreicht,

2020 sei der konzernweite Jahresumsatz um mehr als 50 Prozent auf 1,7 Milliarden US-Dollar gestiegen und 2021 die Zwei-Milliarden-Grenze geknackt worden, alles Zahlen, die Wünsch parat hat. Wünsch: „Das Besondere ist zudem, dass dieses massive Wachstum auch in Zeiten der Pandemie und des Ukraine-Krieges in den letzten Jahren ohne Lieferschwierigkeiten gestemmt werden konnte." Es habe zwar einige Herausforderungen gegeben, am Ende des Tages seien die Produkte aber rechtzeitig bei den Kunden gewesen. Auch deshalb ist Ralf Wünsch stolz, ein Teil dieser Erfolgsgeschichte sein zu dürfen. Diese Verbundenheit ist bei vielen Teampartnern immer wieder zu hören. PM, unser Unternehmen.

Die Erwartungen von Ralf Wünsch wurden in Dallas an diesem 19. April 2022 erfüllt. PM war 2021

Wolfgang Stephan und Ralf Wünsch.

mit 2,38 Milliarden Umsatz die Nummer neun auf der Weltrangliste der Direktvertriebsunternehmen und wurde sogar zum zweiten Mal hintereinander mit dem BRAVO Award ausgezeichnet, als das am schnellsten wachsende Unternehmen im Direktvertrieb 2021. Ralf Wünsch war an diesem Ehrentag einer von zwei anwesenden Führungskräften aus dem Vertrieb der PM International von insgesamt sieben weiteren Ehrengästen am Tisch des Gründers und Vorstandes Rolf Sorg mit seiner Frau Vicki Sorg. „Unbeschreiblich hier dabei zu sein und dann noch als Teil einer solchen Erfolgsgeschichte", schrieb mir Ralf Wünsch noch am Abend per WhatsApp. „Es ist wirklich unfassbar, was wir im vergangenen Jahr geleistet haben", sagt Wünsch. Wir?

Dass Ralf Wünsch auch ein ansehnliches Aktienpaket von seinem Unternehmen besitzt, sollte eigentlich an dieser Stelle nicht erwähnt werden. So jedenfalls seine Bitte in den ersten Biografie-Gesprächen in seinem Domizil in den Vereinigten Arabischen Emiraten. Warum? „Mehr sein als scheinen" – das Lebensmotto des legendären Hamburger Unternehmers, Mäzen und Stifters Kurt A. Körper könnte zu dieser Haltung passen. Ein wenig Demut vor der eigenen Leistung. Wünsch sagt das so: „Bei allem Erfolg habe ich nie vergessen, wo ich herkomme und welche Herausforderungen ich bewältigen musste."

*Vicki und Rolf Sorg mit Ralf Wünsch
am 19. April in Dallas.*

Szenenwechsel. Vor allem an diesem 18. Juni 1995 in Ahlen/Westfalen. Es ist der Abend, den er tatsächlich nie vergessen wird und der in seiner Vita vermutlich eine noch größere Bedeutung hat als der 19. April 2022 in Dallas. Ralf Wünsch sitzt am Tresen der Kneipendiskothek „Night Melodie", einer Lokalität, in der Träume eher zerrinnen als geboren werden. Mit dem Auto war Ralf Wünsch aus Spanien gekommen, vollgepackt mit Kosmetika. Sonst hatte er nichts mehr.

„Ich wollte Millionär werden,

so die klare Zielvorstellung, als er Monate zuvor gen Granada gefahren war.

Mit 29 Jahren hatte Ralf Wünsch die Idee, mit Rafael, seinem Freund und Geschäftspartner, ein eigenes Network-Marketing Unternehmen zu gründen. „Princess-Cosmetic" sollte sein Durchbruch in einem bis dahin von vielen Aufs und Abs gekennzeichneten Leben werden. Das Duo hatte eine eigene Marke mit eigenem Labels für den Spanischen Markt entwickelt. Firmensitz war Granada in Andalusien, zwei Frauen wurden für die Abwicklung im Büro angestellt, Wünsch hatte die Büroleitung, war für den Einkauf und das Controlling zuständig und sein Partner für Marketing und Vertrieb. „Eigentlich war diese Geschäftsidee auf einem soliden Fundament gebaut", bilanziert Wünsch heute. 100.000 D-Mark hatte er in das Spanischgeschäft investiert, sein Eigenheim mit dieser Summe beliehen. Der Geschäftspartner war ein in Deutschland geborener Spanier, der gerne in sein Land zurück wollte. Die Eltern hatten in Granada ein Haus als Altersruhesitz gekauft, in dem die Jungunternehmer mit Pool und vielen Annehmlichkeiten wohnen konnten, deshalb der Firmensitz Granada.

„Ein Traum", sagt Wünsch, der mit dem Ziel angereist war, schnell Spanisch zu lernen. Die ersten Produkte hatte er in seinem BMW älteren Baujahrs selbst nach Granada transportiert. Es waren in Bayern hergestellte Kosmetika, hochwertige Parfüms, eine Pflegeserie, Hand- und Fußbalsam. Eine fertige Kosmetikserie und eine Reihe von Schönheitsprodukten, nach Richtlinien des Deutschen Tierschutzbundes hergestellt, die damals vornehmlich in Österreich vertrieben wurde und die ihm angeboten worden war. Wünsch: „Wir konnten auf eine fertige Produktlinie von hoher Qualität zurückgreifen." Die Kalkulation sollte auf einem soliden Fundament stehen. So der Geschäftsplan. Wünsch erzählt den Traum vom Glück so: „Mit 30.000 D-Mark im Monat hätten wir den Break-Even geschafft, mit 50.000 hätten wir wunderbar gelebt und mit 100.000 wären wir bereits die Könige in Granada gewesen." Als Könige in Granada residieren, die Idee hatten in der Geschichte schon viele andere. „Wir hatten uns schon reich gerechnet."

Das Network-Geschäft in Spanien begann im Januar 1995 und lief gut an, sein Partner, der schon Monate zuvor in Granada war, hatte gute Kontakte, die ersten Abschlüsse schienen vielversprechend. Der Vertriebsweg war klassisches Network-Marketing mit eigenem Marketingplan, leistungsbezogen und fair – so der Anspruch. Basierend auf den Arbeitsweisen der täglichen Arbeitsmethode mit Namenslisten, Terminabsprachen, Geschäftspräsentationen, Einwandbehandlungen und Abschlüssen sollte ein Team aufgebaut werden. Diese vertrieblichen Erfolgsmechanismen hatte Wünsch bereits verinnerlicht und ein Ausbildungskonzept entwickelt, obwohl er selber noch nicht ganz am Ende seiner eigenen Ausbildung angekommen war.

Das Problem: Sein Freund Rafael hatte zwar die Kontakte, aber auch Liebeskummer, weil seine Frau Andrea in Deutschland zurückgeblieben war. Nach heutigen Erkenntnissen wäre Rafael eine allmählich beginnende Depression zu bescheinigen gewesen, damals war das einfach „in ein tiefes Loch fallen". Mit der Konsequenz, dass die wesentlichste Geschäftsgrundlage nicht funktionierte. Es gab zu wenige Meetings, Direktansprachen, die Damen im Büro langweilten sich.

Schon nach zwei Wochen spürte Wünsch, dass die Krise des Partners von Tag zu Tag größer wurde. Wünsch: „Nach sechs Wochen war mir klar, dass ich einen Plan B benötige. Wir waren zu keinem Zeitpunkt kostendeckend", erinnert er sich, „3.000 bis 5.000 D-Mark Verlust fielen monatlich an, da der Vertrieb mangels kontinuierlicher Aktivität meines Partners Rafael zu langsam wuchs." Allmählich kam Panik auf, weil Wünsch sein investiertes Geld schwinden sah, jedoch aufgrund der fehlenden Sprachkenntnisse (er hatte ja erst angefangen, Spanisch zu lernen) den aktiven Vertrieb nicht ausreichend unterstützen konnte. „Panik" ist in diesem Geschäft ein ganz schlechter Geselle, das wusste Wünsch, der allmählich auch Mühe hatte, die Freundschaft mit dem Spanier zu halten. Um selbst den Vertrieb retten zu können, fehlte ihm die wesentlichste Grundlage: Spanisch sprechen. Ein Kapitalfehler, sich auf „andere" zu verlassen – diese Einsicht des Ralf Wünsch damals kam zu spät.

Nach nur drei Monaten war der Traum ausgeträumt. Schnell weg, retten, was noch zu retten ist. Zwei Drittel der mitgebrachten Ware war weg, mit dem Rest der Pflegeprodukte fuhr Ralf Wünsch zusammen mit seinen wenigen Habseligkeiten auf der Autobahn von Andalusien zurück in seine Heimatstadt Ahlen in Westfalen. Ein väterlicher Freund hatte ihm das Kinderzimmer seiner Tochter als Bleibe angeboten. Da sollte er erstmal einen Unterschlupf finden.

Doch nach 2.288 Kilometern auf der Straße aus dem Süden war ihm nicht nach Kinderzimmer zumute. Sein Weg führte ihn in Ahlen in die Kneipendiskothek „Night Melodie", kein Treffpunkt der Erfolgreichen. Sein Eigenheim in Ahlen war beliehen und vermietet, doch die Mieter hatten nicht bezahlt. Komplett gescheitert. Keine Freundin, keine Wohnung, keine Klamotten, keine Perspektive, die Freunde hatten sich verabschiedet, keine Liquidität. Einsam saß er am Tresen. Aus allen Träumen gerissen. Mit 30 wollte er Millionär sein. Das war sein Ziel zu Beginn seiner Network-Marketing-

Karriere. Und jetzt? Statt König von Granada ein Ge-
scheiterter. Ein finanzieller Scherbenhaufen, nur noch
ein Koffer mit Klamotten, eine Bleibe im leergeräumten
Kinderzimmer eines Freundes. Und den Stachel des
Scheiterns in der Seele. Es war der Tiefpunkt seines
bisherigen Lebens. Die Visionen waren geplatzt. Das
Leben meinte es offensichtlich doch nicht gut mit ihm.
Ganz alleine saß er in der Spelunke in Ahlen. „Über
sieben Brücken musst du gehen", riet Peter Maffay aus
der Musikbox. Ralf Wünsch weinte am Tresen in der
„Night Melodie".

Es war der 18. Juni 1995. Sein 30. Geburtstag. Als
Ralf Wünsch das im schmucken Garten seines Eigen-
heims in den Vereinigten Arabischen Emiraten erzählt,
übermannen ihn erneut die Gefühle. Er schämt sich
seiner Tränen nicht. Die Erinnerung an den Tiefpunkt
vor 27 Jahren und aktuell die größte Wertschätzung
seines Lebens. Ein Spagat mit vielen Facetten eines ehr-
geizigen Typen, der immer nach oben wollte. Erfolg als
Lebenselixier, immer behaftet mit einer Emotionalität,
die ihn auch heute noch mitunter leicht von der Spur
abweichen lässt. Dass er seinen Weg geht und gehen
konnte, liegt an seiner Willenskraft, die er nur entwickelte, weil er oft ganz unten war und mit brennendem
Verlangen nach oben blickte. Seine Herkunft ist sein
Antrieb. Ralf Wünsch hat immer Visionen entwickelt,
sich Ziele gesetzt und sich diesen unterworfen. Immer
von der Überzeugung geleitet, dass er es schaffen wird.
Beharrlichkeit als Programm. Umgesetzt mit seinen

Vertriebspartnern in aller Welt. Minimum eine Million Monatsumsatz. Aufgebaut nach den alten Regeln des Network-Marketing, ganz im Sinne der PM-Philosophie: „If I can do it, you can do it" – „Wenn ich es kann, kannst du es auch."

KAPITEL EINS

LICHT UND SCHATTEN IN DER KINDHEIT

Zurück zu den Anfängen

Geboren am 18. Juni 1965 in Ahlen/Westfalen. Mutter Verkäuferin, Vater Schlosser. Zwei Geschwister, eine zwei Jahre jüngere Schwester und ein vier Jahre jüngerer Bruder. Die Siebziger-Jahre, Samstagabend Fernsehzeit, Sportschau, Hitparade, Familien-Quiz im Einfamilienhaus in Enniger, einem kleinen Dorf im Münsterland mit damals knapp 3.000 Einwohnern.

Ralf erblickt das Licht der Welt am 18. Juni 1965.

Familie Wünsch Anfang der 70er Jahre.

„Die ersten zwölf Jahre haben wir einigermaßen behütet gelebt", erinnert sich Ralf Wünsch. Klassische deutsche Familie? Eher weniger, die Ehe hielt nur, weil der Vater meist auf Auslandsmontage war. Zementwerke in aller Welt waren sein Arbeitsplatz. Wenn der Vater nicht da war, passte der etwas größere Ralf auf die Kleinen auf. Die Selbstständigkeit lernte er früh. Ein Fundament seines Lebens. Dass ihm die Mutter seinen Familieneinsatz aus Eifersucht nie richtig gedankt hat, gehört auch zu den frühen Erfahrungen, nämlich zu wissen, was Wertschätzung bedeuten könnte, oder umgekehrt: zu erfahren, was es heißt, keine Wertschätzung zu bekommen. Der Vater war vordergründig eher Vorbild. Einer, der sich gut verkaufen konnte, immer strebsam, fleißig, pflichtbewusst mit viel Disziplin, Einsatz – und lösungsorientiert für seinen Beruf, immer krumm legen für die Familie. Vom Vater gab es nur bedingt eine Anerkennung. „Immer nur, wenn er mich gut fand, wenn ich mal versagt hatte, hat er mich das spüren lassen." Von Motivation keine Spur.

Heile Welt in Brasilien

Immerhin gab es in der Kindheit auch ein tolles Erlebnis, zwei Jahre Brasilien, das insofern Spuren im Fundament seines Lebens hinterlassen hat, weil er da die heile Welt einer Familie erleben durfte. Der Vater hatte 1970 einen Auslandseinsatz für 18 Monate

Familie Wünsch in Brasilien.

in Brasilien angenommen und die ganze Familie Wünsch zog nach Südamerika, Ralf war fünf Jahre alt, seine Schwester Jutta drei und der Bruder Jörg noch ein Kleinkind. Erst im Vorort von Sao Paulo, dann vor den Türen der Hauptstadt Brasilia. Ralf Wünsch erlebte „die schönste Zeit meiner Kindheit." Für Wünsch war es „wie ein Paradies", wobei das Feeling nicht so sehr dem Land galt, als vielmehr der unbeschwerten Freiheit ohne Sorgen im Zusammenleben mit Vater, Mutter und Geschwistern. Dass er in den knapp zwei Jahren auch sehr gut die portugiesische Sprache erlernte, gilt als Randnotiz, geblieben ist davon nichts.

Erfahrung des Lebens: Kameradschaft

1972, zurück in Enniger, wurde er als Siebenjähriger eingeschult und die große Liebe seines Lebens begann: Fußball. Erst das damals übliche Bolzplatz-Spiel („drei Ecken = ein Elfmeter") dann die erste Jugendmannschaft. Fußball spielt im Leben des Ralf Wünsch eine beherrschende Rolle, vom 7. Lebensjahr bis heute.

Wer als 57-jähriger erfolgreicher Networker an einem trüben Oktoberfreitag von Konstanz mit dem Auto nach Heilbronn fährt, um als Bayern Fan seine Fußball-Kumpels vom FC Kölle im Hotel zu treffen, um dann mit dem Fanbus nach Hoffenheim zum Auswärtsspiel des Effzeh zu fahren, muss schon ein wenig Besessenheit im Blut haben, gepaart mit einer fast kindischen Fankultur, die sich in ihrer narzisstischen Verrücktheit zeigt, wenn alle Mann im Bus die Kappe des Kölner Trainers Steffen Baumgart tragen und sich kindisch freuen, dass sie eine Schiebermütze besitzen, obwohl die doch im Fanshop des Effzeh seit Monaten ausverkauft war. Dass der Effzeh eine Schlappe von 5:0 kassiert, war am Ende fast nebensächlich, die Gemeinschaft mit den Kumpels und Fans war wichtiger als das Ergebnis. Diese Männerfreundschaften sind ihm wichtig.

Möglicherweise wurden die Grundlagen damals gelegt, 1972 beim SUS Enniger, an der bunten Brücke. Torwart war zunächst seine Position, er war halt groß gewachsen, hatte tolle Reflexe und war mutig – das war Qualifikation genug. In allen Jugendmannschaften spielte er mit großer Begeisterung, irgendwie sei er immer eine Art Anführer gewesen, der gerne Verantwortung übernommen habe, erinnert sich Wünsch heute. Die WM 1974 hat er als Neunjähriger geradezu aufgesogen, die Spiele im TV verschlungen. Das Endspiel gegen Holland mit den Toren von Paul Breitner und Gerd Müller beim 2:1-Sieg hat er bei der Oma gesehen. Die Ergebnisse und die Torschützen sowie alle Weltmeister von 1930 bis 2022, mit vielen Anekdoten und entscheidenden Spielszenen, hat er noch heute auf Anhieb parat.

Fußballfreunde beim EFFZEH.

9. Juli 2022. Im VIP Bereich der DFB-Lounge bei den „Freunden der Nationalmannschaft" trifft Ralf Wünsch vor dem Nation League-Spiel gegen England den Torschützen und in den siebziger Jahren als Rebell geltenden Paul Breitner, der hören durfte, dass der neunjährige Ralf das Endspiel 1974 bei der Oma gesehen hatte und vor dem Elfmeter, den Breitner zum 1:1-Ausgleich erzielt hatte, ins Schlafzimmer gelaufen war, weil er nicht hinschauen konnte. Paul Breitner: „Warum?" Wünsch antwortet:„Weil Uli Hoeneß im letzten Zwischenrundenspiel gegen Polen einen Elfer verschossen hat." Antwort Paul Breitner: „Das war doch gut so, sonst hätte womöglich wieder der Uli geschossen und nicht ich."

Ralf Wünsch mit Paul Breitner.

„Fußball war alles für mich", so eine Bilanz seiner Jugend. Die WDR-Bundesliga-Konferenz im Radio am Samstagnachmittag beim Autowaschen war Pflicht, wenn er gerade nicht selber spielte. Erst noch als Torwart, dann ab dem 14. Lebensjahr im Feld. So ein wenig träumte er damals von einer Karriere als Profi. Es fehlte ihm jedoch an der Grundschnelligkeit, die er auch mit Zusatztraining und doppeltem Einsatz nicht ausgleichen konnte. Einstellung, Fairness, Kampf und eine solide Technik stimmten – das Kopfballspiel als Innenverteidiger war seine Stärke. Das von Fußballern wenig geliebte Kopfballpendel war sein Freund. „Wenn der Ball hoch kam, war das meiner", so Ralf Wünsch über den Fußballer Ralf Wünsch. Die Kameradschaft, die gemeinsame Freude, die Feiern in den Jugendteams waren ihm wichtig, so etwas kannte er vorher nicht. Schon gar nicht als Jugendlicher in der Familie.

Erfahrung des Lebens: Neid

Als Ralf 13 Jahre alt war, wurde die Ehe geschieden, der Vater ging auf seinen Montagetouren eigene Wege und die Mutter hatte einen türkischen Freund. Mit der Konsequenz, dass die behütete Kindheit im Einfamilienhaus in Enniger zu Ende war. Das Haus wurde verkauft, die Mutter zog mit ihren Kindern in eine Wohnung in Ahlen. In eine Ghetto-Siedlung für sozial Schwache. Als Übergang, denn das Reihenhaus, das sie für ihren Anteil vom Einfamilienhaus gekauft hatte, war noch nicht fertig. Es war ein schlimmes Jahr für den dreizehnjährigen Ralf. „Ich habe erstmals gemerkt, was Neid und Missgunst unter Kindern bedeuten." Einerseits, weil Ralf auf dem Gymnasium war, zudem noch ein guter Jugend-Fußballer. Besser als die anderen.

> **Die haben mir nach der Schule aufgelauert, mich gejagt und verprügelt. Ein kompletter Bruch meiner Kindheit.**

Auch die Wohnverhältnisse waren schwierig. Alle drei Kinder in einem Schlafzimmer, für das Unterhaltungsprogramm am Abend war der kleine Ralf zuständig. Theaterspiel und Geschichten für die Geschwister Jutta und Jörg vor dem Einschlafen.

Weil der Freund der Mutter Türke war, wurde die Familie in den eigenen Reihen geächtet, auch im Umfeld spürte Ralf die wenig freundlichen Blicke der Nachbarn. Ralf: „Viele Familientreffen, wie am Sonntag bei der Oma, fielen aus, von der Familie, mit Ausnahme der Oma, wollte uns niemand mehr haben." Apropos Oma, Ralf verbrachte in seiner Kindheit viel Zeit bei der Oma, die ihm ans Herz gewachsen war. Eine Entertainerin, eine Künstlerin, die sich in der ehrenamtlichen Altenpflege engagierte, Wochenendausflüge organisierte und jedem das Rommé-Spielen beibrachte. Die Oma war für das Unterhaltungsprogramm zuständig, was auch später Bedeutung für das Leben des Ralf Wünsch haben sollte. Von ihr bekam er auch Lob und Anerkennung. Das kannte er in dieser Form noch nicht. Die Oma mutierte zum ersten Vorbild im Leben des Ralf Wünsch. „Du bist ein Fuchs, aus dir wird mal was", hatte ihm die Oma immer wieder gesagt. Zu ihr war er auch als Neunjähriger mal geflüchtet. Als der Vater wieder ausflippte, lief Ralf die zehn Kilometer zu Fuß zur Oma. Um Mitternacht kam er an. Am nächsten Tag holte ihn der Vater ohne Worte ab, mit den Geschwistern ging es zum Fußball. Nach dem Spiel musste er nach Hause laufen. „Wer hinlaufen kann, kann auch zurücklaufen." Seine Geschwister weinten, als der Vater mit dem Auto an dem traurigen Ralf auf der Straße vorbeifuhr. Mit der Oma entwickelte Ralf auch den ersten Geschäftssinn. Mit den alten Damen im Altenheim spielte er Rommé. Pro Punkt gab es einen Pfennig. Die Ladys freuten sich und Ralf hatte am Ende des Nachmittags sein erstes Geld verdient. Zwei bis drei D-Mark.

Ralf mit Schwester Jutta und Bruder Jörg.

Dennoch: Angenehm war die Zeit nicht. Als die Mutter ihrem Freund den Laufpass gegeben hatte, wollte der das nicht akzeptieren. Mit Angst saßen die Kinder oft eingeschlossen in ihrem Schlafzimmer, wenn der Ex-Freund randalierte. Ralf war der Beschützer seiner kleinen Geschwister.

„Wir hatten Angst, dass der uns umbringt,

erinnert sich Ralf Wünsch an die teilweise dramatischen Szenen dieser Zeit, die erst ein Ende hatte, als die Mutter mit den drei Kindern in das fertige Reihenhaus ziehen konnte. Der Vater war nach der Scheidung verschwunden, in aller Welt unterwegs. Um die Kinder kümmerte er sich nicht, dass nahm ihm Ralf im weiteren Verlauf seines Lebens übel.

Direkte Beziehungen zu ihm gab es nicht mehr. Mit einer Ausnahme: Nach vielen Jahren ohne Kontakt besuchte Ralf Wünsch seinen Vater Horst Ende Juni 2022 in einem Krankenhaus in Ahlen. Es war ein emotionaler Abschied. Ralf am Bett des schlafenden Vaters. Als der die Augen öffnete, sah er ihn an und sagte: „Schön, dass du gekommen bist – alles ist gut." Die Worte „verzeihen" und „stolz" kamen von den Lippen des sterbenskranken Mannes. Ralfs Bruder Jörg hatte dem Vater immer wieder von Ralf und seinem Aufstieg erzählt. Der Vater sei voller Demut gewesen, eine Tugend, die der junge Ralf Wünsch damals nie an seinem Vater festgestellt hatte. Auch voll des Lobes für den Sohn Jörg, der sich all die Jahre liebevoll um ihn gekümmert hatte. Ralf bilanziert: „Wir haben, ohne ins Detail zu gehen, vieles besprochen und mit viel Verständnis füreinander quasi alles ausgeräumt. Mein Vater war wie ich befreit und wir haben uns voneinander verabschieden können."

Vier Tage nach dem Besuch des „verlorenen Sohnes" ist Vater Horst für immer eingeschlafen. Für Ralf war der Besuch am Krankenbett wichtig. „Er ist in Ruhe gestorben und war mit sich im Reinen und nur das zählt, ich bin mir sicher, dass auch für mich diese Versöhnung und dieser Abschied wichtig war – ich bin dankbar, noch rechtzeitig da gewesen zu sein." Natürlich war Ralf Wünsch bei der Beerdigung in Ahlen.

Erfahrung des Lebens: Gruppendynamik

Bei Feiern oder Mannschaftsfahrten war er schon früh für die Organisation und Unterhaltung zuständig. Einer, der auch motivieren konnte, wertschätzen, obwohl er es selbst kaum erfahren hatte. Er glaubt, auch schon damals der Zeit etwas voraus gewesen zu sein. Beispielsweise 1986, als er mit seinen Fußballkumpels nach Mallorca fuhr. Als Feierbiester in eigenen Trikots. Pinkfarben von BOSS. „Mir war es immer wichtig, ein gewisses Niveau zu halten." Auch die Gemeinschaft fördern. Auf das Ziel Fußball spielen, alles geben und gewinnen fokussieren, den Spaß in der dritten Halbzeit anschließend nicht vergessen. Auch ein Fundament seines Schaffens. Natürlich hat er die Reise organisiert. Darauf geachtet, dass möglichst alle im Kader mitkommen können, auch von der Gemeinschaft mitfinanziert. Ralf Wünsch zu dieser Erfahrung: „Du kannst über eine Mannschaftsfahrt erzählen oder dabei sein – du kannst über ein Meeting erzählen oder dabei sein."

Eine Parallele, die er auch auf das Network-Marketing bezieht: „Unsere Teams stellten immer eine sehr hohe Anzahl an Teilnehmern bei Seminaren, ob das bei den monatlichen PM Business-Akademien war oder bei den PM Kongressen, mir war immer wichtig, dass viele aus dem Team mitmachen. Je mehr Partner dabei sind, desto mehr Identifikation, Zusammenhalt und Erfolg resultiert daraus, egal wo, im PM Geschäft oder im Verein." Wünsch zu dieser Erfahrung: „Erzählen ist nie wie erleben."

Vom Ghetto ins neue Reihenhaus

Es sollte ein Neuanfang für die Familie werden. Ralf war 14 und übernahm immer mehr die Verantwortung für seine Geschwister. Das Gymnasium spielte eher eine Nebenrolle. Ein wirklich guter Schüler ab der 5. Klasse Gymnasium war Ralf Wünsch nie. Durchschnitt. Das stupide Auswendiglernen habe ihm nicht sonderlich viel Spaß gemacht. Alles, was mit Logik zu erklären war, interessierte ihn. Mathematik-Leistungskurs – Rechnen und Planen sind heute noch seine Stärken, Geschichte-Leistungskurs – als „Schule des Lebens", Deutsch – als Grundlage der Kommunikation und natürlich Sport. In seiner Rolle des „kleinen" Hausherrn hat er freiwillig Aufgaben und Verantwortung schnell übernommen, die die Mutter nicht leisten konnte – für Ralf schon damals eine Selbstverständlichkeit: Keller streichen, Garten anlegen. Von den Nachbarn lernen: Über den Zaun schauen und die richtigen Fragen stellen – an die Nachbarn, die alle geschlagene 15 bis 20 Jahre älter waren, aber denen der Jungspund im neuen Haus imponierte.

Ralf hatte seine Aufgabe, die neue Umgebung war top, der Fußball machte Spaß. Dann kam der 18. Juni 1980. Ein Tag, den er nie vergessen wird. Es war sein 15. Geburtstag, als seine geliebte Oma, Rosa Fischer, mit nur 69 Jahren an ihrem Darmkrebsleiden verstarb. „Ein schwerer Schlag", so seine Erinnerung – die einzige Person, die an ihn glaubte, ihn motivierte, war nicht mehr da. Doch dieser 18. Juni hatte nicht nur emotionale Folgen, es war auch der Tag, der mit einem dicken Dilemma verbunden ist, das für das weitere Leben des Jungen Folgen hatte: Kurz vor der Beerdigung der Oma wollte Ralf das Auto der Mutter aus der Garage fahren. Das klappte nicht ganz so gut, denn der Wagen landete am Garagentor des Nachbarn. Was für eine Blamage. Er, der kleine Hausherr, dem so vieles gelang und dann so eine Peinlichkeit. Nachhaltig flehte er die Mutter an, sie möge das Malheur bei der Beerdigung nicht zum Thema machen, die Verwandtschaft sollte davon nichts erfahren. Für den Schaden werde er aufkommen, das versprach er hoch und heilig. Den Schaden am Garagentor übernahm die Versicherung, den Schaden am Auto – verbogene Stoßstange und Lack – werde er mit dem Geld aus seinem ersten Ferienjob bezahlen. So sein Plan. Aber bitte nichts erzählen. Ein frommer Wunsch.

Erfahrung des Lebens:
Keine Schwäche zeigen

Die Karambolage war das große Thema nach der Beerdigung. „Weil ich eben schon so stark war, hat meine Mutter jede Schwäche ausgenutzt, um mich klein zu machen und das für sie selbst als Sieg zu feiern." Also erzählte sie, brühwarm, von dem kleinen Unfall des angeblich so großen Ralf, der die Demütigung tief in seinem Innern bis heute noch verankert hat. Dazu passt diese Episode: Omas Mofa musste überführt werden. Ralf machte das natürlich gerne, hatte aber Pech, denn weil das Licht nicht funktionierte, wurde er von der Polizei angehalten. Zehn D-Mark Bußgeld. Die Kohle hatte er nicht, also musste er mit der Mutter später zur Polizeiwache. Und wieder eine Kerbe für das Selbstbewusstsein des Teenagers: „Wissen Sie eigentlich, dass der Junge keinen Führerschein hat", petzte die Mutter. Ralf war geschockt, der Polizist nachsichtig.

Den ersten Ferienjob besorgte eine Tante, die Mitleid zeigte, als die Mutter fast triumphierend von dem Unfall des Sohnes erzählte. Auf dem Bau verdiente Ralf 7,54 D-Mark in der Stunde. Drei Wochen hat er gearbeitet, morgens um 6.30 Uhr Arbeitsbeginn und dann acht Stunden malocht – und das in den Ferien. 750 D-Mark hat er am Ende bekommen und das Geld komplett der Mutter übergeben. Er hatte es versprochen, die Konsequenz seines Fehlers beglichen.

Erfahrung des Lebens:
Geld ist schon ein Faktor

Dieser Ferienjob war letztlich der Beginn der Karriere des Ralf Wünsch, der erstmals erfuhr, welche wichtige Rolle eigenes Geld im Leben spielt – Taschengeld oder Geldzuwendungen bekam er nicht. Mit einem Nachbarn, einem Banker, hat er eine Vereinbarung getroffen: der war Filialleiter der Sparkasse Ahlen, bei der Ralf sein erstes Konto hatte. Mit Zustimmung des Filialleiters durfte er das Konto schon als Jugendlicher um 3.000 D-Mark überziehen – heute undenkbar. Aber der Banker vertraute ihm, denn Ralf versprach, in allen Ferien zu arbeiten – was unter dem Strich am Jahresende bis zu 5.000 D-Mark brachte. Manchmal begann er den ersten Ferienjob um vier Uhr in der Nacht beim Bäcker, um nach vier Stunden in der Backstube ab acht Uhr noch 8-9 Stunden am Bau weiter zu arbeiten. Später kellnerte er in einer Disco, heimste mit Freundlichkeit und Empathie auch eine Menge Trinkgeld ein.

„Ich habe wirklich gutes Geld verdient.

Selbstständig und unabhängig von der Mutter sein, das war der Antrieb. Mofa, Moped, Auto – inklusive der dazugehörigen Führerscheine – alles selber bezahlt. Sich selber auch mal mit schönen Dingen belohnen, die andere nicht hatten. Musikanlagen standen bei ihm besonders hoch im Kurs, für das Kinderzimmer, später im Auto. 400 D-Mark hat das erste Auto gekostet, 1.000 D-Mark die Musikanlage. Seitenfenster auf und durch die Stadt fahren – mit dröhnenden Boxen. „Ich habe schon als Jugendlicher immer gut gelebt, war gerne großzügig bei Einladungen – mit eigenem Geld, das war mir wichtig." Für ihn sei es selbstverständlich gewesen, er habe ab dem 15. Lebensjahr schnell gelernt, auch finanziell auf eigenen Füßen zu stehen.

Irgendwann später mit 18 Jahren lernte er in der Diskothek, in der er kellnerte, die Jungs einer Drücker-kolonne aus Hamburg kennen, die meist viel Geld am Abend auf den Tisch legten. Zeitschriften-Abos an der Haustür verkaufen, das war damals weit verbreitet, ein Geschäftskonzept auch der großen Zeitschriftenverlage, denn die Jungs an der Haustür waren erfolgreich, wenn auch nicht immer mit ganz legalen Methoden, weshalb die „Drücker" einen zweifelhaften Ruf hatten.

Ralf Wünsch hatte zwar keine Ahnung von dem Geschäft an der Haustür, aber eine Menge Selbst-bewusstsein und keine Zweifel an seinem Verkaufs-talent. Die Strategie entwickelte er selbst aus einer Mischung zwischen ehrlicher Ansprache, Empathie für das Gegenüber und logischer Argumentation. Fernse-hen schauten alle, demzufolge hatte, beziehungsweise brauchte, auch jeder Haushalt seine eigene Fernseh-zeitung. Also verkaufte der „arme" Schüler Ralf, mit seinem Schülerausweis ausgestattet, Zeitungs-Abos an der Haustür. „Ob Sie die Zeitung am Kiosk kaufen oder wenn ich Sie Ihnen persönlich jede Woche bringe, kostet Sie das nur 15 Cent mehr, möchten Sie TV-Spiel-film oder „Hörzu?" war die ehrliche Ansprache und das funktionierte sehr gut. Dass er die Magazine nicht wie versprochen persönlich ausgetragen hat, war eine kleine Schummelei, die zum Geschäft gehörte und mit der Ralf leben konnte. So ein Sonnabend von 10 – 15 Uhr von Tür zu Tür in wechselnden Bezirken brachte mit vier bis fünf Abos bis zu 150 D-Mark. Gut für's Konto, gut für's Selbstbewusstsein und gut für die Er-fahrung, denn innerhalb der Drückerkolonne gab es auch Wettbewerbe. Beispielsweise das ansprechende Auto des Kolonnenführers für ein Wochenende zur Verfügung haben oder eine Woche Mallorca, was Ralf in der Schulkarriere als Todesstoß für die 12. Klasse be-zeichnete, denn der gewonnene Ferienaufenthalt war natürlich während der Schulzeit. Dann die 12. Klasse wiederholen, einigermaßen ein gutes Zeugnis bekom-men, aber auf das Abitur verzichten – Fachabitur sollte auch reichen, mehr verlangte die Bundeswehr nicht. Zeitsoldat, als Offiziersanwärter mit Praxisstudium bei gutem Sold von damals anfänglich 1.500 D-Mark, das war der Plan des mittlerweile 19-Jährigen, der auf den selbstverdienten Luxus am Ende seiner gymnasialen Laufbahn nicht verzichten wollte, denn: „Ich stand ja seit meinem 15. Lebensjahr finanziell auf eigenen Füßen und wollte auch nicht auf den mittlerweile ge-wohnten Lebensstandard verzichten." Mit einem für seine Verhältnisse akzeptablen Zeugnis beendete er nach der 12. Klasse das Gymnasium, um sich bei der Bundeswehr zu bewerben. Eine Formsache. Für einen wie Ralf Wünsch.

Der junge Ralf am Strand in Spanien.

KAPITEL ZWEI

LEHR JAHRE SIND KEINE HERREN JAHRE

Weil er als Fußballer austrainiert war, deshalb in körperlich guter Verfassung und sich auch schulisch ausreichend ausgestattet sah, hatte er keinerlei Zweifel an diesem Karriereweg.

Die zweitägige Aufnahmeprüfung bei der Bundeswehr in Köln an seinem 20. Geburtstag lief top mit sportlicher Bestnote, schulisch war es anspruchsvoller, das Ergebnis aber immer noch befriedigend. Das Abschlussgespräch schien nur noch eine Formsache – denkste. „Keine Führungskompetenz, ungeeignet als Offizier", wurde ihm nach etlichen Fragen einer 3-köpfigen Prüfungskommission bescheinigt. Auf der Zielgeraden durchgefallen. Plan A gescheitert, einen Plan B hatte er nicht. „Weil ich mir nicht vorstellen konnte zu scheitern." Weil er doch sein Leben bis dato so gut gemeistert hatte und jetzt von Dritten in nur einem Gespräch als nicht geeignet bewertet wurde... unfassbar für Ralf Wünsch.

Das Loch war tief, in das der so selbstbewusste 20-Jährige fiel. Tagelang hatte er mit der Welt abgeschlossen, lag auf seinem Zimmer vor der Glotze. Rocky 3 mit Sylvester Stallone schaute Ralf immer wieder zur Motivation, gefühlte 100 Mal. Der Antrieb blieb vorerst bei null. Das Leben schien es doch nicht gut mit Ralf Wünsch zu meinen.

Handwerk hat goldenen Boden

Und dann ging eine Tür auf – wie oftmals im Leben. Diesmal konnte die Mutter einiges wieder gutmachen, denn sie besorgte dem Sohnemann eine Lehrstelle als Schlosser. Das lag durchaus auf der Hand, denn auch der Vater hatte eine Schlosserausbildung. Also Schlosserlehre, mit der schnellen Erfahrung, dass Lehrjahre keine Herrenjahre sind. Aber durchaus bedeutend für die Leere im Kopf. „Für mich war das wichtig, um überhaupt wieder eine Orientierung zu haben." Dass das nicht das Ende der Fahnenstange sein werde, war Ralf Wünsch klar. Das Projekt Schlosser aber hat er ernst genommen, denn nach der Probezeit sollte er eigentlich entlassen werden, weil er zu selbstständig gearbeitet hatte und irgendwie ohnehin anders war als alle anderen. Mit dem Auto vorgefahren, klug, selbstbewusst, altklug. „Ich war zu gut, habe zu viel mitgeredet", so sein Problem in der Rückschau. Der Berufsschullehrer vermittelte, redete mit dem Chef, Ralf durfte bleiben und erfuhr danach eine tolle Lehrzeit. Auch, weil die Randbedingungen stimmten.

Mit seiner ersten ernsthaften festen Freundin Antje nahm er sich eine gemeinsame Wohnung und fußballerisch stand er mit seinen 20 Jahren voll im Saft bei TuS Ahlen (heute Rot-Weiss Ahlen), damals in der höchsten Amateurklasse spielend. In der B- und A-Jugend mischte Ralf bereits als Vorstopper bei zwei Aufstiegen mit, in den damals höchsten Jugendklassen gegen einige spätere Bundesligaspieler. Den Sprung in die 1. Mannschaft nach der Jugend schaffte er nicht ganz, saß vorwiegend auf der Bank und wechselte den Verein, wurde bei BV09 Hamm Meister als defensiver Mittelfeldspieler mit 13 Saisontoren und kehrte anschließend zu seinem Heimatverein SUS Enniger zurück. Hier erlebte Ralf mit zwei Kreispokalsiegen, zwei Hallenmeisterschaften (einmal war er hierbei Torschützenkönig), toller Kameradschaft und begeisternden Mannschaftsfahrten seine schönste Fußballzeit, was sich später als gute Erfahrung in seinem PM Geschäft widerspiegeln sollte.

„Einmal schafften wir es als kleiner Dorfverein in die Hauptrunde des DFB-Pokals gegen den damaligen Bundesligisten MSV Duisburg. Das Spiel fand direkt nach der Sommerpause statt, wir waren eine Woche im Training, der MSV hatte bereits sein erstes Bundesligaspiel am Wochenende vorher gespielt und gewonnen – wir verloren also standesgemäß 1:12." Das Ergebnis ist ein Teil der Erinnerungen in der Vita des Ralf Wünsch, das andere erzählt er heute noch gerne, denn sein Gegenspieler war ein gewisser Michael Tönnies, Mittelstürmer (ein „Knipser") und gestandener Bundesligaprofi. Gut, dass der fünf der zwölf Treffer erzielte, gehört auch zu der Wahrheit. Aber wer kann das schon als Story aus seinem Leben erzählen?

Ralf beim Aufbau eines Edelstahlsegels an der Düsseldorfer Landeszentralbank im Jahre 1989.

Ralf Wünsch: Hart aber fair
als Innenverteidiger beim SuS Enniger 1989.

Zum zweiten Mal Kreispokalsieger 1990.
Endspielsieg gegen den SV Beckum.

Sektkorken und Fassungslosigkeit
Wenn David den Goliath besiegt

„Nachlese" zum Kreispokalendspiel – Schütte: „Es ist unglaublich"

Enniger (dile). Himmelhoch-
jauchzend – zu Tode betrübt. Ju-
belorgien hier – Fassungslosigkeit
dort. Nach dem 6:4-Erfolg des SuS
Enniger über die SpVgg Beckum,
ach dem Triumph des Davids
über den Goliath spielten sich am
späten Samstag nachmittag rund
um den Sportplatz „Am Börgen-
amp" Szenen ab, wie sie nur im
okal zu sehen sind.

„Es ist einfach unglaublich",
schüttelte Beckums Trainer Wolf-
ng Schütte den Kopf, während
nige Meter weiter am Sportheim
.e Sektkorken flogen und unab-
lässig Siegesgesänge angestimmt
wurden. Niemand im Lager des
beglückten konnte und wollte
greifen, was da passiert war.
...ich nicht der 1. Vorsitzende Helmut Rehmers, dem die Enttäuschung im Gesicht geschrieben
and. „Ihr habt heute 'ne Menge
eld verspielt", bemerkte einer
...us dem zahlreich mitgereisten
blauweißen Anhang, und jeder
wußte, der Mann hat recht. Man
rinnere sich an den FC Güters-
h, den VfB Stuttgart und die
2 000 Zuschauer.

Auf einen „warmen Regen" für
die Vereinskasse darf nun der SuS
nniger hoffen, der aus dem Po-
al-Krimi verdientermaßen als
.ieger hervorging. „Die haben einfach aggressiv gespielt, uns re-
gelrecht den Schneid abgekauft",
estand Schütte neidlos ein Er. Ja
lle im Beckumer Lager, erwiesen
sich als faire Verlie-
rer, hier und da sah man sogar
Schulterklopfen. Beckum setzte
t Enniger die Tendenz der letzten
wei Meisterschaftsspiele fort. Der
einsatz stimmte nur eine Halbzeit
lang, zu wenig um einen unbandig
kämpfenden Bezirksligisten in die
.nie zu zwingen. Der geglückte
tart mit dem Führungstreffer
von Chamlali erwies sich als
Strohfeuer, mit zunehmender
Spieldauer bis man sich Ennigers
.dwehr, besonders in den beiden
1) Liberos Hanskötter und Haase
.ie Zähne aus. Entscheidend
auch, daß Mathias Tenostedt Ralf
Hermschröder voll im Griff hatte

Das Interview...
...mit Uli Laufmöller
(Alter Fußballkumpel)

„ENTWEDER MAN MAG IHN ODER MAN FINDET SEINE ART BESCHEUERT

Sie waren der Fußballkumpel von Ralf Wünsch beim SUS Enniger, Sie waren Kapitän, er Innenverteidiger. Wenn Sie sich an Ralf Wünsch von damals erinnern, wie würden Sie ihn beschreiben?

Verrückt. Der war heiß wie Frittenfett. Übermotiviert, fußballbesessen. Für die Mannschaft hat er alles getan. Wobei er fußballerisch schon an seine Grenzen kam. Was aber nichts daran ändert, dass er sein Herz auf dem Platz gelassen hat und jeden Spieler vor dem Spiel mit einer extra Portion Galligkeit rausgeschickt hat.

Also war er nicht der begnadete Fußballer?

Na ja, er war Vorstopper, so ein Töter halt. Kennen Sie noch Katsche Schwarzenbeck? So einer war das. Limitiert, aber motiviert. Kopfballstark, mit einem guten Körper ausgestattet. Manchmal aber auch leichtsinnig. Für die Bezirksliga hat das gereicht.

Wobei er wohl auch außerhalb des Platzes eine wichtige Rolle gespielt hat?

Das kommt darauf an, auf was Sie anspielen? Mit seinem Parfüm hat er uns doch alle wuschig gemacht. Aber er war auch für jeden Spaß gut und wenn es etwas zu organisieren galt, war er ganz vorne. Dieses Talent war damals schon ausgeprägt. Das war schon eine verrückte Zeit, nach dem Spiel wurde gefeiert, getrunken, getanzt. Ralf war immer mittendrin. Sie müssen wissen, das war in einem 3.000-Seelen-Dorf. Fußball war schon wichtig, aber die Geselligkeit durch den Fußball auch.

Wir haben das alle geliebt. Das war Dorfleben pur.

Wissen Sie, warum Ralf so fußballverrückt ist?
Ich würde das nicht nur auf den Fußball konzentrieren. Ralf interessierte sich für alles im Sport. Aber halt nicht so, dass er das einfach nur zur Kenntnis nahm. Ich kann mich erinnern, da lief irgendwann der Fernseher mit der Übertragung einer Ski-Abfahrt. Das war nun wirklich nicht weltbewegend. Für Ralf aber schon. Plötzlich schrie der vor der Kiste, dass der Kerl sich doch gefälligst anstrengen und schneller fahren soll. Ralf geht bei jedem Sport sofort aus dem Sattel. Ich glaube, deshalb stimmt bei uns auch die Chemie, da ich von den Gefühlen, von der Emotionalität her auf einer Wellenlänge mit ihm bin und ich diesen Wettkampfsport so liebe.

Wir beide wissen, dass Ralf eine erstaunliche Karriere im Network-Marketing gemacht hat, beziehungsweise noch mittendrin ist. War das damals schon abzusehen, dass der so abgehen wird?
Nein, nein. Das war ein Typ, der hat entweder im Ritz gewohnt oder unter einer Brücke, weil er mal wieder keine Kohle hatte. Hop oder top. Aber irgendwie war er immer positiv. Wenn dann mal wieder ein Geschäft in die Hose ging, dachten wir alle, jetzt ist er fertig, aber nichts da, der war immer grenzenlos optimistisch und stand sofort wieder auf. Eigentlich war er doch Handwerker, dann ist er zum Vertrieb gekommen, hat

uns Parfüm verkauft. Ich glaube, Ralf hat schnell gemerkt, dass er ein Vertriebler ist. Und weil er einen unfassbar großen Ehrgeiz hatte, war das schnell sein Geschäft. Er hat sich immer schnell begeistert und dann auch mal verrückte Sachen gemacht. Dass so einer Karriere machen könnte, war schon klar. Nachdem er nach dem ersten Fehlschlag mit dem nachgemachten Parfüm gescheitert ist, hat er auf einmal mit dem Verkauf von Pullovern angefangen, und er saß hier im Wohnzimmer. Meine Frau lud Freundinnen ein und er war in seinem Element und wollte diese Pullover als die Sensation hinstellen, die sie nicht waren. Aber er war voller Überzeugung und hat übertrieben versucht, das Produkt zu hypen als „100 Prozent Zärtlichkeit". Es hat zwar nicht geklappt, aber ich hätte schon allein aufgrund seiner Überzeugung einen Pullover gekauft. Die Frauen eher nicht.

Was macht Ralf Wünsch aus?

Entweder man mag ihn oder man findet seine Art bescheuert. Er war und ist aber immer von sich überzeugt. Ob er auch mal hinterfragt, wie die Dinge manchmal laufen, ist schwer zu sage. „Immer weiter, immer weiter", wie Olli Kahn es ausdrückte.

Wie haben Sie, wie haben seine Freunde damals auf ihn reagiert?

Mit Ralf war es nie einfach. Ralf ist fordernd, von sich immer überzeugt. Die Bodenständigkeit fehlt ihm manchmal, ich glaube, er kann sich schwer in andere Menschen hineinversetzen. Wenn irgendetwas nicht so läuft, wenn andere nicht sein Tempo mitgehen, dreht er schnell am Rad. Da kennt er dann manchmal auch keine Freunde mehr. Das kommt nicht immer gut an. Ich finde seine Art eigentlich gut, ich habe ihn immer akzeptiert. Aber klar, Ralf Wünsch polarisiert viel, den muss man auch zu nehmen wissen. Andererseits bewegt er auch viel. Das war schon damals so, ich glaube, wir waren eine der ersten Mannschaften, die damals eine Saison-Abschlussfahrt nach Mallorca gemacht haben. Dreimal dürfen Sie raten, wer das organisiert hatte.

Wie 1990 auch die Fahrt zur WM nach Italien. Eigentlich hat doch alles gegen den Törn gesprochen?
Richtig. Alles hat dagegen gesprochen. Wir hatten kein Auto, keine Zeit und keine Eintrittskarten. Aber eine verrückte Idee im Kopf. Für uns gab es doch nur Fußball im Leben. Und wenn die Deutschen bei einer WM in Mailand gegen Holland spielen, ist das ein Grund, dabei zu sein. Ralf und ich waren sofort angefixt, einen Kumpel haben wir überredet und Ralf hat dann noch einen Bekannten mitgebracht und ab ging es nach Mailand. Die Fahrt alleine war schon schlimm, der hat uns fast totgequatscht mit seinem Marketing-Gedöns. Der war so besessen und überzeugt, das hat schon genervt. Ich glaube, der hat nicht eine Minute den Mund zugemacht. Wenn einer Befürchtungen hatte, dass wir keine Karten kriegen, hat Ralf sofort widersprochen. Wir

kriegen Karten. Der Ralf war sich sicher. Und so war das dann auch. Irgendwer hat uns in Mailand erzählt, dass es am nächsten Morgen noch Karten gibt. Also früh raus und anstehen. Da standen Tausende in der Schlange. Eigentlich schien das hoffnungslos. Aber wer hat noch zwei Karten bekommen: Ralf Wünsch. Zwei Plätze der Kategorie 1 für damals schon beachtliche 190 D-Mark pro Karte, für die anderen beiden Karten der Kategorie 3 mussten wir jeweils 300 D-Mark bezahlen – kurzum Ralf hatte durch seine Ausdauer in

SuS Enniger (Bezirksliga) 1987 Vizemeister und Kreispokalsieger mit Ralf Wünsch.

der Schlange die besten Plätze gesichert. Ich glaube, dass diese Aktion ganz bezeichnend war für den Typen Ralf. Er ist irgendwie ein positiv Verrückter. Damals war das natürlich am Ende ein unwahrscheinlich tolles Erlebnis. Deutschland hat die Holländer 2:1 besiegt und wir waren dabei. Sie können sich vorstellen, was da zu Hause los war. Wir haben wochenlang von diesem Erlebnis gezehrt.

Die langen Fahrten für ein Fußball-Erlebnis gehören noch immer in sein Leben: Der fährt vom Bodensee nach Köln, um den FC zu sehen.
Ja, aber ich glaube, ihm geht es da nicht nur um den FC, eigentlich ist er nämlich Bayern-Fan. Der will doch hauptsächlich mit seinen Kumpels feiern. Wenn es um Fußball und Geselligkeit geht, dann ist der nicht zu

Ralf Wünsch mit Uli Laufmöller in Mailand.

halten. Das lebt der. Wobei wir auch wissen, dass er das nötige Kleingeld hat, um das alles zu finanzieren. Auch das kommt halt nicht immer überall gut an, wenn Bilder von Ralf mit irgendwelchen Promis in der VIP-Loge die Runde machen. Entweder ist ihm das egal, was andere über ihn denken oder ihm fehlt manchmal das Gespür, dass andere seine Begeisterung nicht teilen, weil sie sich das nicht leisten können. Unser Kontakt ist nie ganz abgerissen. Von den Emotionen her sind wir beide ziemlich gleich. Andere schütteln schon mal den Kopf, wenn sie ihn sehen, aber mich stört das nicht.

Das klingt jetzt nicht ganz nett?

Unter Fußball-Kumpels muss nicht immer alles nett sein. Wichtig ist, dass wir ehrlich miteinander umgehen. Und eines muss ich klar sagen: Ich weiß genau, wenn ich jetzt ein Problem hätte und ihn anrufen würde, dann setzt er sich ins Auto und ist schnell da. Er weiß vermutlich aber auch, dass ich das umgekehrt auch machen würde.

Karriere als Schlosser-Lehrling

Weil er in der Lehre die richtige Mischung zwischen harter Arbeit, Selbstbewusstsein, Kreativität und Fleiß fand, gilt dieser Einstieg in die Berufswelt für ihn heute als überaus erfolgreich. „Wenn ich etwas mache, mache ich es, so gut ich kann." Lehrling Ralf war immer zur Stelle, wenn es etwas außerhalb des normalen Törns zu arbeiten gab. Schlosser war nicht sein Traumberuf, aber eine Berufung auf Zeit. Die Lehre als schöne Zeit, auch wenn er am Wochenende die dreckigen Fingernägel kaum sauber bekam. Als er die Ausbildung beendete, war er der beste Lehrling, den die Firma jemals beschäftigt hatte. Im Abschlusszeugnis der Berufsschule standen 100 Punkte, eine glatte 1.0 und die Werkstoffprüfung wurde mit einer 2+ bewertet. Das war mehr als ordentlich.

Allerdings gab es damals im Lehrbetrieb weder Wertschätzung, noch Lob und Anerkennung.

Lob als Argument

Die gab es aber gleich nach der Lehre in seiner ersten Anstellung als Geselle bei der Edelstahl-Firma Wallmeyer aus Sendenhorst, 8 km von seiner Heimatstadt Ahlen entfernt. „Wertschätzung vom Chef selber zu bekommen, war eine große, neue Erfahrung für mich." Es war ungewohnt für ihn, dass der Chef am Freitag die Hand auf seine Schulter legte und ihn lobte:

nach § 31 HwO

Ralf Wünsch   GEB. AM: 18.04.1965

HAT DIE

Schlosser   -HANDWERK

im   BESTANDEN.

DIE EINZELNEN PRÜFUNGSLEISTUNGEN WURDEN WIE FOLGT BEWERTET:

FERTIGKEITSPRÜFUNG

Gesellenstück   gut

Arbeitsprobe   ---

Ergebnis der Fertigkeitsprüfung: gut

KENNTNISPRÜFUNG

Fachkunde/Technologie   sehr gut

Fachrechnen/Techn. Mathematik   sehr gut

Fachzeichnen/Techn. Zeichnen   sehr gut

Wirtschafts- und Sozialkunde   sehr gut

Ergebnis der Kenntnisprüfung: sehr gut

4720 Beckum, 28.01.1988
(ORT, TAG DER LETZTEN PRÜFUNGSLEISTUNG)

DER VORSITZENDE DES PRÜFUNGSAUSSCHUSSES   DER   ZUSTÄNDIGEN STE
(UNTERSCHRIFT)

*Gesellen-
prüfung
als Schlosser.*

67

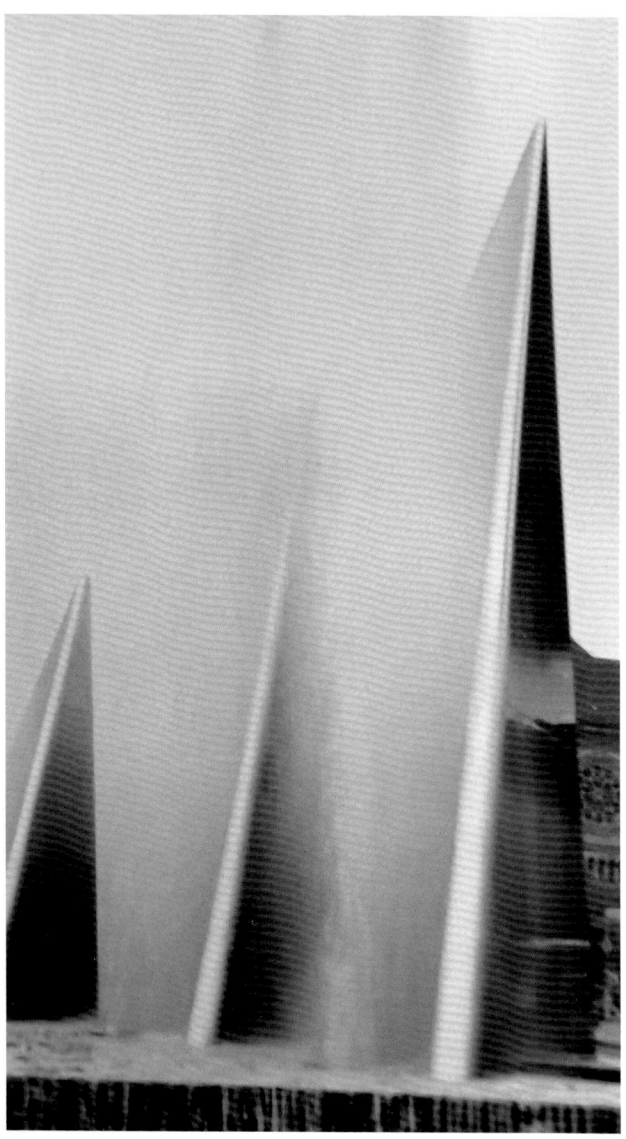

Das fertige Edelstahlsegel an der Landeszentralbank.

„Schön, dass du uns hilfst Ralf, toll deine Arbeit, auf dich ist immer Verlass", an die Worte von Wallmeyer Senior erinnert er sich gerne, auch an die meist damit verbundene Frage, ob er denn am Sonnabend arbeiten könne, er werde dringend gebraucht. Auch das war eine Erfahrung für's Leben. Ralf Wünsch weiß seither: „Wenn du Lob bekommst, kannst du dich diesem Lob nicht entziehen, du bist für jede Bitte, die anschließend kommt, entmachtet."

Wie hätte er damals dem Chef eine Abfuhr erteilen können? Sieben Monate hat er Edelstahl bei der Firma Wallmeyer bearbeitet, mit einem klaren Ziel: Geld zu bunkern, um im Studium gut über die Runden zu kommen. Das Maschinenbau-Studium in der Fachhochschule Paderborn/Soest war die logische Konsequenz nach seiner Ausbildung als Schlosser mit Fachabitur. Seine tatsächliche Berufung sollte sich aber ganz anders entwickeln. Verkaufen konnte er, aber was Network-Marketing ist, wusste er eigentlich nicht. Er hatte allerdings schon davon gehört.

HÖHEN UND TIEFEN IM NETWORK-MARKETING

Der Parfüm-Heini

Schlosser-Lehrling, Fußballer, Freundin, eigene Wohnung, Auto – in dieser Welt ließ sich einigermaßen gut leben, aber eben nur einigermaßen. Ralf war 20 Jahre alt, als er von einem Bekannten aus den Fußballerkreisen gefragt wurde, ob er denn genug Geld habe? Blöde Frage. Ob er denn etwas dazu verdienen möchte? Gute Frage. Aber wie?

Die Antwort gab es von Helmut Spikker, einem Fußballkameraden und „Star" der 1. Mannschaft von TUS Ahlen. Spikker hatte damals die Firma LR in Ahlen gegründet und später zum damals größten Network-Marketing Unternehmen Deutschlands aufgebaut.

Antje und Ralf (1988 bis 1992).

Lange Zeit ein ernsthafter Mitbewerber der PM International, später 2005 an Investoren verkauft und damit alles mitverkauft, was erfolgreiche Network-Marketing Unternehmen ausmacht. Das Unternehmen ist zwar heute noch mit über 300 Millionen Umsatz mit wechselnden Firmennamen und Philosophien am Markt, jedoch in allen Bereichen der Produkt- und Unternehmens-Philosophie kein wirklicher Mitbewerber des Familienunternehmens PM International. 1985, bei der Gründung, war das Sortiment und der Slogan simpel. Mit Duft zum Erfolg, das bedeutete Düfte zu günstigen Preisen – 100ml Eau de Parfum für 33 D-Mark Endverkaufspreis – die den namhaften Premium-Düften zum Verwechseln ähnelten und deren Qualität trotzdem hoch war. Investition: eine Duftbox für 30 D-Mark, der Verkauf einfach, jede Duftprobe hatte eine Nummer und war vergleichbar mit einem vergleichbaren Douglas Parfum (Nr. 1 = Chanel). Die sollte und wollte der Schlosserlehrling verkaufen. Die ersten Kunden waren seine Fußballkameraden nach dem Training, mit dem Ergebnis, dass alle Spieler-Freundinnen den gleichen Duft am Sonntag ausstrahlten. Ralf hatte jedem die Nummer 9 (seinen Lieblingsduft) empfohlen und insgesamt 17 x Nr. 9 als Bestellung notiert – sein erster Verdienst 17 x 11 D-Mark = 187 D-Mark. Ralf war Parfüm-Händler (Einkauf 22 D-Mark, Verkauf 33 D-Mark = 11 D-Mark Gewinn pro 100ml Flacon) für alle in seinem Bekanntenkreis – und der war groß. Kurzum, er brauchte und kaufte mehr Duftboxen. Sein

Verkauf wuchs durch gezieltes Verteilen der Duftboxen, das war die Logik, das Einkommen immer zwischen 800-1.500 Euro monatlich, nicht schlecht für einen Lehrling und späteren Studenten – Network-Marketing war das jedoch noch nicht.

Ein Vorbild der besonderen Art

Studium in der Woche, samstags Arbeit als Schlosser mit einem Stundenlohn von 19 D-Mark, was Ende der achtziger Jahre schon viel Geld war. Halb sechs am Sonnabend aufstehen, 50 km über Land von Ahlen nach Georgmarienhütte (bei Osnabrück) fahren, zehn Stunden arbeiten, gerade noch rechtzeitig zur Sportschau zurück, um dann auf dem Sofa einzuschlafen. Sonntags war Fußball angesagt. Ein Leben, das nicht unbedingt für eine Beziehung gut war. Objektiv betrachtet war dies die beste Voraussetzung, um ins Network-Marketing einzusteigen. Vorausgesetzt, es gibt jemand, der von dieser Chance weiß. Es war ein denkwürdiger Moment im Karneval 1990 in der Stadthalle Ahlen. Alle fröhlich, Ralf Wünsch traf den LR-Unternehmer Helmut Spikker, der mit einem Geschäftspartner an seiner Seite Ralf auf das Herzlichste begrüßte – komm, trink einen mit uns. Auf Ralfs Frage, wer denn dieser neue Geschäftspartner sei, der die „Ehre" hatte, mit dem LR-Chef unterwegs zu sein, gab es die Antwort, die für Ralfs weiteren Lebensweg entscheidend sein sollte: „Das ist unser neuer Superstar," sagte Spikker und erzählte, dass er Postbeamter am Schalter sei, nur Realschulabschluss und damit keine Aufstiegschancen habe. Erst vor drei Monaten habe er das Duft-Geschäft mit dem Vertriebsweg Network-Marketing kennengelernt, ein Team mit einem monatlichen Umsatz von 15.000 D-Mark aufgebaut und über 3.000 D-Mark monatlich, mit steigender Tendenz, damit verdient. Wow. Ralf war sichtlich irritiert, denn er sah einen eher schüchternen jungen Mann, von kleiner Gestalt, der eine große Brille und einen langweiligen Haarschnitt trug – kein Typ, der Erfolg ausstrahlte und nach dem sich die Frauen auf der Straße umdrehen würden, vermutete Wünsch.

Eigentlich unfassbar. So ein Typ ein „Superstar". Ralf war erst einmal neugierig. Neid und Missgunst waren ihm fremd, aber er wollte wissen, was den „Kleinen mit der Brille" zum hoffnungsvollen Aufsteiger in den Augen vom LR-Chef Spikker machte. Weil er wusste, was Wertschätzung bedeutet, gratulierte Ralf und gab eine Runde Bier aus, die der neue Superstar holen sollte.

Dieser „Kleine mit der Brille" und dann dieser Erfolg. Ralf musste sich erst einmal am Ausgang sortieren. Als Ralf zurückkehrte, sah er, dass der „Kleine" immer noch in der zweiten Reihe am Tresen stand und Mühe hatte, die Runde Bier zu bestellen. Ralf regelte das selbst. Danach suchte er das Gespräch mit dem „Superstar".

Was hatte dieser „Kleine mit der Brille", was er nicht

hatte. Er, Ralf Wünsch, erfolgreicher Amateurfußballer, groß, gutaussehend, Maschinenbaustudent mit Perspektive, der sein Leben seit dem 15. Lebensjahr ziemlich gut meistert, dem alle Türen aufstehen, und dann dieser unscheinbare „Kleine mit Brille", so seine vergleichende Wahrnehmung.

Aber er musste schnell erfahren, dass das nicht automatisch Faktoren für den Erfolg sind. Dieser neue Favorit sprach mit Begeisterung über Network-Marketing, einfach, verständlich. Seine Augen leuchteten bei jedem Satz, sein brennendes Verlangen war ansteckend und das Geschäft so einfach: drei bis fünf Kunden versorgen und Partner finden, die einem folgen, die Chance ihres Lebens erkennen. Ralf war überrascht und ein stückweit auch wütend auf sich selbst, dass er diese Methode bisher nie kennengelernt hatte. Sein Entschluss bei der Weiberfastnacht im März 1990 stand fest: „Was der „Kleine mit der Brille" kann, das kann ich auch."

Es war fünf Jahre nach seinem Start als Parfumverkäufer. Den zeitnahen üblichen Nach-Termin, bei dem im Network-Marketing oftmals der Plan, je nach Zielsetzung, geschmiedet wird, hatte Ralf Wünsch fünf Jahre erfolgreich verhindert. Brauche er nicht, er sei auch so erfolgreich. Dachte er.

Der „Kleine mit der Brille" als Erfolgsrezept

D er „Kleine mit der Brille". Jahrelang war dies eine Metapher, ein Symbol für die Chancen des Business im Network Marketing: „Wenn der „Kleine mit der Brille" es geschafft hat, dann schaffe ich es auch." Oder das andere Beispiel: „Wenn die Hausfrau mit drei Kindern das geschafft hat, schaffe ich es auch." Übrigens ein Leitspruch von Rolf Sorg, dem Gründer und Vorstand der PM International. „Wenn ich es kann, kannst du es auch."

Ralf Wünsch erinnert sich noch heute an seine ersten beiden Geschäftsvorstellungen (bester Freund und beste Freundin), die floppten – zweimal nein.

Aufgeben? Auf keinen Fall, der „Kleine mit der Brille" hat es auch geschafft, also weitermachen. Die dritte Geschäftsvorstellung war erfolgreich – es geht doch.

Wieso der Kleine erfolgreich war? Die Frage beantwortet Wünsch heute so: „Er hatte erkannt, was heute immer noch viele Menschen nicht wissen, beziehungsweise nicht verstehen wollen, dass Network-Marketing eine Chance für jeden, ob Mann oder Frau, ist und das hat bei ihm alle Dämme brechen lassen. Er hat erkannt, dass Network-Marketing die Chance seines Lebens sein kann und diese wollte er nutzen. Er, der objektiv betrachtet nicht jemand war, dem Erfolg auf der Stirn eintätowiert war, von mittlerer Statur, durchschnittlichem Aussehen und durchschnittlicher Bildung, weit

ER HATTE ERKANNT, WAS HEUTE IMMER NOCH VIELE MENSCHEN NICHT WISSEN, BEZIEHUNGSWEISE NICHT VERSTEHEN WOLLEN, DASS NETWORK-MARKETING EINE CHANCE FÜR JEDEN, OB MANN ODER FRAU, IST UND DAS HAT BEI IHM ALLE DÄMME BRECHEN LASSEN.

entfernt von angeborenem Charisma, das den Raum allein mit seiner Anwesenheit erleuchtet. Sein Charisma war, wie sich seine Haltung, seine Augen, in die Augen eines Tigers verwandelten, wenn er über das sprach, was er liebte – Network-Marketing mit einer tollen Firma und tollen Produkten, die ihm, einem einfachen Postbeamten, die Chance seines Lebens anbot."

Genau das war es, was Ralf Wünsch bis heute neidlos bewundert und damals unendlich motivierte. Es stellten sich damals wie heute nur noch die Fragen, was muss ich genau tun, welche Dinge sind zu beachten, was ist zu lernen, von wem lerne ich, kurzum, wer hilft mir, dieses Geschäft richtig zu starten – diese Fragen wurden anschließend schnell beantwortet, wenn auch mit einem kleinen Umweg.

Helmut Spikker hatte Wünsch einen Termin bei seinem Partner Achim Hickmann, Vertriebsleiter der LR, organisiert. Achim versprach: „Wir zeigen dir, wie es geht." Allerdings war die folgende Geschäftspräsentation nicht so, dass Wünsch in Begeisterung ausbrechen konnte. Irgendwie stimmte die Chemie nicht...

Es war Zufall, dass am nächsten Tag nach dieser Präsentation sich eine andere Tür öffnete. Der Bruder von Helmut Spikker war auf den jungen Studenten auch aufmerksam geworden. Auch wenn das unglaublich klingt: Der Bruder führte ebenfalls ein „Duft"- und Kosmetik-Unternehmen.

Das Unternehmen La Fontaine mit dem Slogan „Die Quelle nobler Düfte", 1989 von Werner Spikker und

Michael Heinzel gegründet, gefiel Ralf Wünsch auf Anhieb – warum, und das hatten die beiden Gründer clever oder auch unbewusst richtig gemacht: Beide waren beim Termin anwesend, beide nahmen sich Zeit, hörten zu, lobten. Ralf fühlte sich wohl, wertgeschätzt. Er wollte jetzt durchstarten mit den neuen Produkten von La Fontaine. Erste Bestellung: Zehn Duftboxen, zwei Parfum- und Kosmetikserien, eine für Ralf, eine für seine Freundin Antje.

Vom Teampartner Norbert Schmidt gab es die erste richtige Schulung. Schmidt war lange Jahre Teampartner von Amway, der Mutter aller Direktvertriebe. Amway ist die Wortverknüpfung von „American Way", ein Top-Unternehmen, gegründet 1959 in einer Garage in Michigan und bis heute die Nummer 1 im Network-Marketing mit über acht Milliarden Dollar Umsatz im Jahr 2021, also das größte Unternehmen der Branche und darüber hinaus bekannt für eine exzellente Ausbildung.

Die tägliche Arbeitsmethode

Nobert Schmidt, damals 39 Jahre alt, Familienvater aus Soest und ein erfolgreicher Networker, war der erste wichtige Mentor von Ralf Wünsch. Norbert Schmidts erste Frage: „Was sind deine Ziele?" Darüber hatte Ralf Wünsch noch überhaupt nicht nachgedacht.

Also wurde das Einmaleins des Network-Marketing gelehrt: Schmidt vermittelte Ralf in Kurzform den roten

Faden der täglichen Arbeitsmethode mit Namensliste, Terminabsprache, Geschäftsvorstellung, Abschluss und Einwandbehandlung, verbunden mit der ersten Aufgabenstellung: „Mach eine Namensliste von 500 Personen, dann üben wir das Terminieren und die ersten beiden Termine machen wir gemeinsam." Das war eine Ansage. Der Kerl war erfolgreich und hatte Erfahrung. Warum sollte er ihm nicht glauben?

Also, erste Anforderung, eine Liste mit 500 Namen. Völlig unmöglich. Wirklich? Schmidts Ratschlag: Fang bei den Schulkameraden an, die Fußball-Kumpels, Arbeitskollegen, Familie, Freunde, Nachbarn. Niemanden ausschließen, denn eine Namensliste entsteht ohne Wertung. Wer die vornimmt, wird schnell Gründe finden, warum der- oder diejenige nicht geeignet ist. Die erste Namensliste ist eine Auflistung aller Menschen, die bekannt sind. Heute ist diese Liste viel einfacher zu erstellen. Schmidt würde diesen Rat geben: „Schau in dein Handy, Facebook, den Instagram-Account und schreibe die Kontakte ab."

Wenn die Namensliste erstellt ist, folgt die akribische Durchsicht: was zeichnet die Menschen aus, wofür stehen sie? Ralf schaffte 432 Namen mit Hilfe seiner Freundin, die auch ihre Kontakte einbrachte. Zweiter Schritt: die Terminierung, meist per Telefon, aber auch im persönlichen Gespräch. Schmidt war in seinem Element und lehrte mit Herz und Verstand: Also, anrufen, sich mal wieder melden, vom eigenen Erleben berichten: Stell dir vor, ich habe ein richtig gutes Geschäft kennengelernt. Das könnte auch was für dich werden. Vielleicht kannst du mir sogar dabei helfen, deine Meinung würde mich interessieren. Bumms. Jetzt lässt sich ganz schwer Nein sagen.

Schon habe ich einen Termin. Kurzschulung: Erstmal loben am Telefon. Neugierde wecken, Treffen vereinbaren, Termin-Alternativen nennen, die Kontakte immer zu einem von mir bestimmten Ort einladen, um ungestört mit den potentiellen Geschäftspartnern zu reden. Motto: Ist die Namensliste voll, ist die Arbeit toll, ist die Liste leer, ist die Arbeit schwer. Plumper Spruch, uralt, aber immer noch richtig.

„Learning by doing" hieß es jetzt, ausgestattet mit den von Norbert Schmitt gelehrten Basics und auf der Grundlage seiner mit 434 Namen ausgestatteten Liste. Mit 1.500 bis 2.500 D-Mark Provisionserfolg war er gemeinsam mit Freundin Antje gestartet, mit der er sich einen beziehungsinternen Wettbewerb lieferte. Der Erfolg ließ nicht lange auf sich warten. Ralf Wünsch war ehrgeizig, die Tipps von Norbert Schmidt hatte er schnell verinnerlicht: Namensliste, Terminierung, Präsentation, Abschluss.

Nach wenigen Wochen stand einer der La Fontaine-Geschäftsführer (ein kleines Konkurrenzunternehmen zu LR International) mit einem Kasten Bier unter dem Arm vor der Haustür. Das Angebot war verlockend: angestellter Vertriebsleiter mit einem Fixum von monatlich 2.000 D-Mark und einer prozentualen Beteiligung von zwei Prozent auf den Gesamtumsatz. Ralf sagte zu, weil er sich nie richtig als Ingenieur am Zeichenbrett gesehen hatte. Am 1. August 1990 war sein Studium nach dem Vordiplom ohne Abschluss beendet. 25 Jahre war er alt, als er erstmals ein eigenes Büro bei La Fontaine im Gewerbegebiet in Ahlen beziehen durfte. „Talent und Ausstrahlung waren da, ich fühlte mich gerüstet für diese Karriere."

Die Margen in dem kleinen Unternehmen waren gut, als Vertriebschef fühlte sich Ralf Wünsch mit 25 Jahren schon ziemlich weit oben. Der Umsatz wurde von 80.000 D-Mark im August auf 300.000 D-Mark im Dezember gesteigert. Wünsch organisierte erste Teampartner-Meetings, lernte viel und schnell. Für die spätere Karriere war dieser Faktor ganz wichtig: Führungskräfte aufbauen und für den gemeinsamen Erfolg rüsten und motivieren, ganz nach den Leitlinien aus den drei Kardinal-Trieben des Menschen, die Wünsch so definiert: Wertschätzung und Lob als Belohnung für erzielte Leistungen, materielle Entlohnung mit dem Ziel, Besitz und Wohlstand zu bekommen und den Kontakt und die Geselligkeit unter „Gleichgesinnten".

Dazu gelte es Führungskräfte mit der Zielsetzung zu schulen, dass überall eine einheitliche Sprache gesprochen werde, parallel müsse ein einheitliches Ausbildungskonzept für erfolgreiches Network-Marketing aufgebaut werden, welches gleichzeitig auch die Unternehmensphilosophie widerspiegele. Wünsch: „Wichtig ist immer, auch den Marketingplan zu vermitteln, was immer schwierig ist, weil viele Teampartner die Marketingpläne kaum verstehen." Vom erfahrenen Norbert Schmidt gab es weitere Maßgaben: Die Besten im Team auswählen und sie beim Führungskräfte-Meeting auftreten lassen. „Von den Besten lernen" sei ein Konzept im Network-Marketing, das auch nach dreißig Jahren immer noch funktioniere. Das erste Führungskräfte Meeting von Ralf Wünsch in Ahlen war erfolgreich: Alle waren begeistert. Alle waren motiviert. Auch die Chefs spielten mit. Nach dem ersten Geschäftsjahr organisierte Ralf Wünsch sein erstes Reise-Incentive 1991 nach Cancun in Mexico: „Ein Traum, was ich dabei gelernt habe, das hat viel dazu beigetragen, später bei PM diese wertvollen Erfahrungen erfolgreich einsetzen zu können", sagt Wünsch.

Antje und Ralf mit dem Team in Cancun/Mexico.

La Fontaine, die Quelle nobler Düfte, funktionierte am Markt als Mitbewerber von LR International, die schon damals einen Jahresumsatz von über 100 Millionen D-Mark in der Bilanz hatten.

Als Vertriebschef war Wünsch viel unterwegs, führte Gespräche, organisierte Meetings, auch hausintern im Seminarraum. 100 Stunden die Woche, kein Urlaub, immer auf Hochtouren laufen. Eigentlich war die Welt für den damals mittlerweile 27-Jährigen in Ordnung, trotz der beiden Chefs, die nicht unbedingt das Unternehmertum im Blut hatten. „Das waren schon schräge Vögel." Aber sie ließen Ralf Wünsch arbeiten.

Ralf Wünsch wird verkauft

Im März 1992 dann der Schock: Die Firma La Fontaine hatte Liquiditätsprobleme und wurde von LR International gekauft. Mit Ralf Wünsch, für den zunächst eine Welt zusammengebrochen war. La Fontaine war gefühlt „sein" Unternehmen. Also war er wieder da, wo er angefangen hatte. Bei dem „alten Fußballkumpel" Helmut Spikker als Chef. Spikker, erfolgreicher Unternehmenschef der LR International GmbH, dem damals größten Network-Marketing Unternehmen aus Ahlen, hatte die Karriere des Ralf Wünsch bei La Fontaine durchaus verfolgt. Er war sogar davon beeindruckt, was dieser bis dahin beim ungeliebten kleinen und lästigen Mitbewerber La

Fontaine auf die Beine gestellte hatte. Spikker konnte motivieren, Wünsch überzeugen. 10.000 D-Mark plus Spesen als Anfangsgehalt, ein S-Klassen-Mercedes als Dienstwagen.

Wünsch heute: „Eigentlich bin ich als Gewinner aus dieser Krise gegangen." Die Marke La Fontaine wurde im Unternehmen LR mit Wünsch weiterentwickelt, die Strukturen verflacht. Dass seine damalige Freundin Antje seine Assistentin wurde, wäre eigentlich nur eine Randnotiz. Aber das sollte noch wichtig werden in seiner Vita.

Ende 1992 lag der Umsatz der Marke La Fontaine wieder bei 300.000 D-Mark, nachdem er durch den Verkauf an die LR Unternehmensgruppe auf 120.000 D-Mark abgerutscht war. Alle waren zufrieden. Besonders Helmut Spikker, der auch private Kontakte zu seinem neuen Vertriebspaar Ralf und besonders zu Antje pflegte, die hinter dem Rücken ihres Freundes mit dem Chef ein Verhältnis begann. Dass dieser Ralf Wünsch immer wieder zu langen Dienstreisen schickte, spielte Spikker, neben den dienstliche Gründen, dabei privat in die Karten. Als Wünsch von dem Verhältnis erfuhr, war das ein Schock: Die Zukunft mit Antje war geplant, ein Einfamilienhaus für 450.000 D-Mark bereits gekauft und überwiegend mit Krediten finanziert. Wünsch zog alleine ein. „Ein Blitzeinschlag", resümiert Ralf das Beziehungsaus, mit zunächst großem Hass auf den Chef. „Der war einfach eine Nummer größer als ich." Macht Geld doch sexy?

Aber: Ralf Wünsch blieb vorerst im Unternehmen, zwangsweise, denn er war ja aufgrund des Hauskredites mit einer Belastung von 2.500 D-Mark monatlich bei fast neun Prozent Zinsen auf das Gehalt angewiesen, obwohl er große Mühe hatte, das Aus mit Antje zu verdauen. An den Folgen dieser unwürdigen Trennung hat er lange gelitten.

Aber: Weil sich – auch das ist eine wichtige Erfahrung von Ralf Wünsch – immer wieder eine Tür öffnet, wenn eine Tür zuschlägt, traf er bald seinen wohl wichtigsten Förderer, Mentor und späteren Freund Franz Brandmüller, einen „Network-Marketing Philosophen" und auf diesem Gebiet ein absoluter Visionär. Brandmüller, der damals das Auslandsgeschäft von LR International eröffnete und leitete, nahm Wünsch unter seine Fittiche und beorderte ihn damit in die damals neue Auslandsabteilung der LR. Wünsch war für die LR Niederlassungen Österreich, Holland und Schweiz verantwortlich. An der Seite von Brandmüller, er war quasi seine „rechte" Hand, lernte Wünsch das Network-Marketing-Geschäft nochmals von einer ganz anderen Seite kennen. Die bildliche Sprache, Kreativität und die emphatische Form der Seminarführung beeindruckten ihn schwer. Parallel dazu lernte Wünsch in dem mittelständigen Unternehmen LR vieles über interne Kommunikation, Organisation und Mitarbeiterführung. „Mit 28 Jahren hatte ich ein ziemlich gutes Know-how, letztlich ein erweitertes Studium im Bereich Network-Marketing mit interner Unternehmensorganisation bekommen",

bilanziert Wünsch, der von seinem Förderer Brandmüller und auch vom Firmenchef Spikker enorm gefordert
und gefördert wurde.

Wenngleich die Zeit bei LR ziemlich hart war, wurde
vom ungeliebten Firmenchef per Zufall der Grundstock
für die spätere Wünsch-Karriere bei PM International
gelegt.

KAPITEL VIER

RALF WÜNSCH TRIFFT ROLF SORG

Helmut Spikker schickte Anfang 1993 wieder einmal Wünsch weg von Ahlen, diesmal gar für einige Monate nach Vaihingen an der Enz.

Da war der Firmensitz des damals größten Mitbewerbers Liguma, die vor der Pleite standen und von LR aufgekauft wurden. Viele Liguma-Teampartner verließen fluchtartig das Unternehmen, Spikker richtete eine Taskforce ein, zu der auch Ralf Wünsch gehörte. Bei Liguma in Vaihingen an der Enz traf er auf einen gewissen Rolf Sorg, der die Nummer eins der Liguma war. Allein seine Vertriebsorganisation war 1992 für die Hälfte des Liguma Jahresumsatzes von rund 25 Millionen D-Mark verantwortlich. Rolf Sorg übernahm Verantwortung und wurde vom neuen Inhaber Spikker zum Geschäftsführer Vertrieb ernannt.

Ein Kollege names Rolf Sorg

Rolf Sorg, ein Pfälzer Jung, Sohn einer gutbürgerlichen Unternehmerfamilie. Nach der 2018 veröffentlichten Familien-Chronik zum 25-jährigen Jubiläum von PM kam der Großvater nach dem Zweiten Weltkrieg mit seiner Familie als Flüchtling nach Deutschland. Mit dem Startgeld von 50 D-Mark fing alles an, der Großvater handelte zunächst mit Zigaretten und Schokolade, in der Nachkriegszeit ein begehrtes Produkt. In der Folge pachtete er ein kleines Fabrikgebäude und brannte Essig und Schnaps. Mit Erfolg, nach zehn Jahren kaufte er ein kleines Anwesen in Limburger-

Rolf Sorg.

hof, nahe Ludwigshafen, um in der neu gegründeten Konservenfabrik eingelegte Paprika und Gurken zu verkaufen. Die Kreativität lag in der Familie. Als Rolf Sorg 1963 geboren wurde, florierte das kleine Unternehmen gut. Rolfs Vater Dieter arbeitete zunächst als Ingenieur und machte sich später auch selbstständig mit einer Produktion für Schüttgüter-Förderbänder. Unausgesprochen klar: Einer der Söhne – Rolf hatte einen jüngeren Bruder – sollte das Unternehmen später einmal übernehmen. In Opas Konservenfabrik arbeitet Rolf Sorg als Jugendlicher mit. Nach dem Abitur, das er keinesfalls mit Bravour (Durchschnittsnote 3,3) bestanden hatte, wollte er Betriebswirtschaft studieren, da stand allerdings der Numerus clausus zunächst im Weg. Also absolvierte der Pfälzer eine Lehre als KFZ-Mechaniker, nach Feierabend reparierte er in einem vom Opa bereitgestellten Carport auf eigene Rechnung kaputte PKW. Zum ersten Mal hatte der Junge richtig Geld in der Tasche. Aber auch den Wunsch nach einem Studium, das er nach der Lehre in Kaiserslautern begann, was zur Folge hatte, dass seine Lebensqualität mangels der lukrativen Nebeneinnahmen merklich abfiel. Ein Nebenjob musste wieder gefunden werden.

Es gehört zur Besonderheit dieser Geschichte, dass der heutige Welt-Unternehmer Rolf Sorg ausgerechnet von einem Schlosser auf den richtigen Weg gebracht wurde. Nicht vom Schlosser Ralf Wünsch, den kannte er damals noch nicht. Aber von einem Schlosser in Kaiserslautern, der Sorgs Traumauto fuhr: einen

3er BMW. Erarbeitet mit einem Direktvertrieb. Der Schlosser verkaufte Kosmetika. Rolf Sorgs Erinnerung ist überliefert: „Wenn der Schlosser das kann, dann kann ich das auch." Ein deckungsgleicher Gedanke mit dem Schlosser aus Ahlen: „Wenn der Kleine mit der Brille...".

Die Parallele ist verblüffend, denn der Erfolg der Herren Sorg und Wünsch beginnt gleichermaßen mit dem Kosmetik-Verkauf.

Für Rolf Sorg war der Nebenjob der Beginn seiner Erfolgsgeschichte, in einem Job, bei dem Leistung unmittelbar honoriert wurde.

Weil er den BMW im Kopf und das Verkaufen anscheinend im Blut hatte, blieb das gute Ergebnis nicht aus. Nach zehn Monaten lag sein Umsatz bei 10.000 D-Mark. Die Uni lief nebenher auf Sparflamme, immerhin hatte er nach zwei Jahren sein Grundstudium absolviert. Als er sein selbstgestecktes Ziel mit 8.000 D-Mark monatlichem Einkommen erreicht hatte, war die Entscheidung auch fix getroffen: Studium vorzeitig beenden und ganz in den Direktvertrieb einsteigen, bei Liguma in Vaihingen an der Enz. Liguma war war für das schnelle Wachstum nicht gemacht, kam in Schwierigkeiten und wurde von LR aus Ahlen übernommen. Hier traf er nach dreieinhalb erfolgreichen Jahren erstmals auf Ralf Wünsch, der von LR beauftragt war, ihm – Rolf Sorg – dabei zu helfen, die Liguma wieder auf Kurs zu bringen.

„Ein Mann mit einem unheimlichen Charisma und einer unfassbaren Ausstrahlung,

(Wünsch über sein erstes Zusammentreffen mit Sorg.)

Sorg hatte schon damals Top-Vertriebler um sich geschart, unter anderem Alexander Plath, Carsten Ledulé, beide sollen später noch eine große Rolle in dieser Geschichte spielen. Spikker hatte den Liguma-Führungskräften, insbesondere Rolf Sorg, versprochen, das Unternehmen Liguma eigenständig zu belassen. Was eine Finte war.

Wünsch: „Ich kam ja vom Feind, dem ungeliebten großen Konkurrenten – trotzdem hat Rolf Sorg mich freundlich begrüßt und wir haben in dieser kurzen Zeit sehr gut und effektiv zusammengearbeitet."

Nach nur drei Monaten war der Liguma-Umsatz wieder auf eine stabil wachsende Basis gestellt und die Aufgabe für Wünsch damit erfüllt.

Er wurde zurück in die LR-Auslandsabteilung in Ahlen beordert. Doch im Süden begann eine neue Geschichte, von der Wünsch nichts mehr mitbekam. Rolf Sorg fühlte sich von Spikker hintergangen, weil der das Unternehmen Liguma nicht eigenständig weiterführen wollte. Die LR sollte den Liguma-Vertrieb übernehmen und die Liguma selber in den Konkurs verabschieden. Daraufhin reichte Rolf Sorg die Kündigung ein. Die Herren Sorg und Wünsch hatten sich aus den Augen verloren.

Wieder ein großer Fehler

Zurück in Ahlen wartete viel Arbeit auf Ralf Wünsch, die er wie immer mit großem Einsatz erfolgreich erfüllte. Nach einem weiteren Jahr war dann die Welt nicht mehr in Ordnung bei LR. Das Einkommen stimmte zwar, aber der Stress hatte mächtig zugenommen. Als Helmut Spikker ihn eines Tages öffentlich bei einem Meeting „unter der Gürtellinie" rüffelte, weil er unverschuldet einen halben Tag zu spät aus dem Urlaub gekommen war – auf den er zuvor eineinhalb Jahre lang verzichtet hatte – war Wünsch tief getroffen und sinnierte über sein Dasein bei LR International. Musste er so mit sich umgehen lassen, sich trotz guter Leistung und viel Erfolg einem derartigen Stress aussetzen? Musste er, der doch in jungen Jahren so erfolgreich war, sich das antun? Er, der sich doch schon wie ein Großer in diesem Business fühlte?

Derlei Überlegungen führten zur Konsequenz: Kündigen und etwas Eigenes aufbauen.

„Einer der größten Fehler meiner Karriere – eine emotionale Entscheidung aus dem Nichts, ohne Abfindung und Auflösungsvertrag selber zu kündigen", sagt Wünsch, der mit einem erfolgreichen und befreundeten Teampartner Rafael ein eigenes Geschäft gründen wollte. Mit Rafael, einem Spanier, der bei LR auch für den spanischen Markt zuständig war, wurde der Plan geboren, eine eigenes Network-Marketing Unternehmen in Spanien zu gründen. Eine Hypothek von

100.000 Euro nahm Ralf auf sein Haus in Ahlen auf und vermietete dieses. Doch nach einigen Monaten blieb die Miete aus. Das erste Problem.

„Princess Cosmetic Espana" mit eine Parfüm-Serie und hochwertigen Pflegeprodukten nach Richtlinien des deutschen Tierschutzbundes eines bayrischen Herstellers wurde vom Firmensitz in Granada aus gestartet, um den Spanischen Markt zu erobern. Das war der Plan. Schnell Millionär werden die Zielsetzung.

Traum vom Millionär jäh geplatzt

Doch bereits nach nur vier Monaten war der Plan gescheitert. Rafael fiel schon nach wenigen Wochen in eine Depression und Ralf konnte sich im fremden Land angesichts der Sprachprobleme nicht verständigen, geschweige denn Geschäfte machen. Als sein investiertes Kapital fast aufgebraucht war, weil der Umsatz den Break Even nicht schaffte und dieser auch aufgrund der Umstände nicht zu erwarten war, zog Ralf Wünsch den Stecker. Mit dem noch verbliebenden Lagerbestand und nur einem Koffer voller Habseligkeiten, mehr hatte er nicht mehr, ging es zurück nach Deutschland. Just an seinem 30. Geburtstag, an dem er heulend am Tresen der Night-Melodie in Ahlen saß. Der sich groß wähnende Ralf Wünsch war erbärmlich gescheitert. Hatte nichts als Schulden, kein Einkommen und nur noch eine Bleibe im Kinderzimmer seines väterlichen Freundes Rainer Geschke aus Ahlen.

Wie war das mit den sich öffnenden Türen?

Ralf Wünsch hatte schnell wieder eine Idee: „Princess Cosmetic Deutschland" mit dem Lagerbestand aus Spanien gründen. Im August 1995 ging es los. Wünsch war der vertriebliche Alleinunterhalter, sein väterlicher Freund Rainer Geschke und jetzt auch sein Partner, kümmerte sich ums Büro. Der Start war gut. Wünsch managte zwei Jahre lang alles, der Umsatz stieg langsam, das Einkommen blieb überschaubar – es reichte immerhin zum Leben...

Möglicherweise wäre aus Princess Cosmetic Deutschland auch mehr entstanden, wenn Wünsch nicht einen jungen Mann kennengelernt hätte, der die Namensrechte von „Ballermann Ballenario 6", dem Logo der In-Strandbude an der Playa de Palma auf Mallorca, zum Patent angemeldet hatte. Die Medien waren begeistert, auch Ralf Wünsch fing sofort Feuer. Eine Sonnencreme („Schütze dich vorm Sonnenbrand, mit Sun-Lotion vom Ballermann") und eine After Sun Lotion („Abends nach dem Ballermann, pflege dich mit After-Sun") wurden kreiert und vermarktet: wieder so ein großer Plan, hochtrabend. Mit der TUI werde über ein „Überlebenspaket" für die Mallorca-Flugreisenden verhandelt, versprach der Namensrechte-Inhaber. Ein Give-Away-Paket für jeden Flugpassagier: Eine Probe-Lotion Sonnencreme, ein Kondom, ein Schnaps – was so auf Mallorca gebraucht wird. Wenn der Erstauftrag zustande gekommen wäre, hätte Wünsch eine halbe Million D-Mark verdient. Wünsch: „Ich habe mich schon wieder im SL sitzen sehen."

Doch es blieb beim Konjunktiv, trotz eines Auftritts der „Ballermann Ballenario 6" Träumer in der Talkshow bei Margarete Schreinemakers in Köln. Einschaltquote mit sieben Millionen Zuschauer. Wieder

Ralf Wünsh am Promotionstand „Ballermann" 1996.

erstmal ein Höhenflug mit weiteren Talkshow-Auftritten bei Tommy Ohrner in München und Johannes B. Kerner in Hamburg. Wünsch war auf Wolke sieben. Einziges Problem: Der TUI-Vertrag war ein Fake, der junge Ballermann-Impresario hatte alle getäuscht. Mit dem Ergebnis, dass Ralf Wünsch sein eigenes Unternehmen vernachlässigt hatte, das neue Geschäft aber nicht zustande kam. Die Vorfinanzierungen dazu und der parallel schwindende Networkumsatz brachten das Unternehmen Princess Cosmetic 1998 in große Schwierigkeiten.

Ulrike tritt in sein Leben

Wünsch war mittlerweile wieder liiert: mit Ulrike, einer Zahnarzthelferin und im Nebenberuf Kosmetikerin, die ihren kleinen Sohn Felix mit in die Beziehung brachte. Bei einem Grillabend hatte er Ulrike kennengelernt, nach einem Monat zogen sie zusammen. Fortan war Ralf Wünsch auch in der Vaterrolle bei Felix, den er nach wenigen Monaten wie einen eigenen Sohn sah. „Es war schön mit dieser kleinen Familie."

Mit einer nebenberuflichen Kosmetikerin als Partnerin, die auch ihre Selbständigkeit leben wollte, wurde mit den bestehenden Erfahrungen in der Haar- und Kosmetikpflege der Princess Cosmetic noch ein Beautysalon mit Kosmetik, Fußpflege und Frisör eröffnet. Natürlich, laut Wünsch, „der schönste Beauty- und

Friseursalon in Ahlen", mit Naturkosmetik-Produkten, Kinderspielecke und exzellentem Service. „Nur" 12.000 D-Mark Monatsumsatz für den Break Even hätten sie monatlich erwirtschaften müssen, schafften es aber nur selten. Warum? „Das ist mir heute noch unerklärlich", sagt Wünsch, der sich aber den Vorwurf macht, zu viel auf einmal gewollt zu haben. Die von Ulrikes Vater vererbte Eigentumswohnung, die er mit Ulrike und Felix bewohnte, war aufgrund der Investitionen in den Beautysalon mit zusätzlichen 250.000 D-Mark bis an die Kante belastet. Weil der Beauty- und Frisörsalon nicht lief und die Princess Cosmetic zu wenig einbrachte, mussten beide Unternehmungen nach drei Jahren harter Arbeit unter dem Druck der Banken zwangsläufig beendet werden – Wünsch war wieder gescheitert und hatte diesmal sogar Ulrikes Eigentumswohnung, wenn auch der Beautysalon eine Entscheidung von beiden war, quasi mit verzockt. Der Schwiegervater hätte sich angesichts dessen „im Grabe umgedreht".

Ulrike Wünsch.

Wünsch als Partyveranstalter

Nach einem kurzen sechsmonatigen Intermezzo als Immobilien-Verkäufer, bei dem Wünsch Verkaufserfahrungen sammelte und auch gut genug verdiente, um seine kleine Familie über Wasser zu halten, kam er Mitte 1998 durch seinen Mentor Franz Brandmüller zu „Francesca Lifestyle", einem Direktvertriebsunternehmen mit italienischer Mode. Der Firmensitz war in der Speicherstadt von Hamburg. Eigentümerin war Baronin Franziska von Ungern-Sternberg mit ihrem Ehemann Ulrich Urban, Marketingpreisträger 1986.

Wieder ein Neubeginn, wieder neues Terrain: Homeparty-Vertrieb mit hochwertiger italienischer Strickmode für Frauen. Ralf Wünsch als Modeverkäufer, klassischer Direktvertrieb mit guter Handelsspanne und Teamprovisionen, ähnlich gegliedert wie Network-Marketing. Das Unternehmen schien solide, die Kollektion mit italienischer Strickmode und deren Qualität war hochwertig, die Geschäftsleitung gediegen hanseatisch, so jedenfalls das Urteil von Franz Brandmüller. „Das fühlte sich alles gut an", bestätigt Wünsch, was er sah und hörte, gefiel ihm, seine Begeisterung zügelte er aber erst noch. So viel hatte er mittlerweile gelernt, er wollte zunächst die Inhaber kennenlernen. Die Einladung zu einem motivierenden Führungskräfte-Meeting inklusive der Übernahme aller Kosten räumte die ersten Bedenken aus. Als er dann noch mit den Eigentümern und der Geschäftsleitung beim persönlichen Kennenlernen in einem brasilianischen Restaurant den dritten Caipirinha genossen hatte, war er mit im Boot. Emotional schien er gefangen.

Neuanfang mit der Baronin

Eigene Homepartys als „Italienische Abende" durchführen und optimieren, neue persönliche Partner gewinnen und ausbilden, war jetzt die Aufgabe. Eine Gastgeberin zu finden, die fünf bis sieben Damen zu einem italienischen Abend bei sich zu Hause einlädt, war dank der Motivation durch Prosecco und Eros Ramazotti für das Gemüt mit dem Anreiz eines Geschenkes aus der Kollektion in Höhe von zehn Prozent des Umsatzes nicht besonders schwer. Den Schlüssel für eine erfolgreiche Party mit begeisterten und kaufwilligen Gästen hatte sich Ralf Wünsch bei über 200 eigenen Partys in eineinhalb Jahren beinahe bis zur Perfektion erarbeitet.

So funktionieren Homepartys

Die Erfahrungen von Ralf Wünsch: Eine Gästeliste zusammen mit Einladungskarten für einen „Italienischen Abend" ist der erste Schlüssel zum Erfolg. Das zweite wichtige Element war die eigene Aktivität der Gastgeberin, die unter der Mithilfe von Ralf Wünsch die Einladungskarten persönlich verfasste. Ergebnis:

In den insgesamt eineinhalb Jahren fanden rund 200 „Italienische Abende" mit wechselnden Gastgeberinnen und Ralf Wünsch als Promotor im Umkreis von Ahlen statt. Meist, wenn der Partner oder Ehemann der Gastgeberin außer Haus war, denn, so die Erfahrung, Männer stören Frauen beim Kauf von Mode.

In der Regel war Wünsch 30 Minuten vor dem Termin bei der Gastgeberin und erfragte viele Details der zu erwarteten Gäste. Wünsch: „Hintergrundinfos über Hobbies, Beruf und modische Vorlieben der Damen sind sehr wertvoll, denn damit konnte ich sie persönlich und meist mit Namen ansprechen, das war wichtig für die Empathie."

Die Blickrichtung beim Homeparty-Vertrieb geht nach seinen Erfahrungen immer in zwei Richtungen:
1. Verkaufen und sofort Geld verdienen.
2. Von den Teilnehmerinnen Folgetermine zu erhalten, aus denen sehr oft neue Vertriebspartnerinnen entstehen.

Sein kleiner Trick dabei: Der Modeverkäufer Wünsch hat seine Herkunft als Schlosser nicht verschwiegen, mit dem Hintergedanken: „Wenn der das kann, kann ich es auch."

Bilanzierend sagt Ralf Wünsch zu den Homepartys: Zielsetzung des „Italienischen Abends" war neben der schönen Atmosphäre mit Prosecco und der Musik von Eros Ramazotti, die Gäste zum Anprobieren zu motivieren. „Wurde anprobiert, hatten sie schon verloren, dann kauften sie." Und ehrlich bleiben: Nicht verschweigen, wenn ein Kleidungsstück nicht passt. „Das andere stand Ihnen viel besser ", so funktionierte die entsprechende „Moderation" von Wünsch, der jeden Italienischen Abend bei entsprechender Vorbereitung mit einem gemeinsamen Glas Prosecco genoss und mit gutem Umsatz abschloss.

Wohlfühl-Atmosphäre schaffen, gute Stimmung verbreiten, viel anprobieren und Bestellzettel verteilen. Und nicht verschweigen, dass die Gastgeberin sich aus den zehn Prozent des Umsatzes etwas aussuchen darf. 25 Prozent des Umsatzes, in der Regel 500 – 1.000 D-Mark am Abend, war der Sofortverdienst. Die Ware wurde immer persönlich ausgeliefert, um ins Gespräch für weitere Partys zu kommen.

„Wenn der Flow da ist, läuft das", so seine Erkenntnis. Die andere: In den eineinhalb Jahren lernte er alle Facetten des Lebens in den Wohnzimmern seiner Gastgeberinnen kennen: Trennungen, Scheidungen, Hauskrach, Geburten, einmal ist im Nebenraum auch die Oma gestorben. „Unfassbar, aber die tollen Momente haben überwogen." Natürlich hatte er auch für Männer immer etwas im Angebot – jedoch erst, wenn die Damen ihre Entscheidungen auf dem Bestellzettel getroffen hatten. Der absolute Renner waren die hochqualitativen Poloshirts aus mercerisierter (glänzend veredelter) Baumwolle, die toll auf der Haut zu tragen waren – Wünsch trug diese bei jedem Italienischen

Abend natürlich selber. Psychologisch wichtig, denn wenn die Damen viel kauften, wurde der Partner oft mit einem Poloshirt überrascht.

In zwei Jahren 168 Team-Partnerinnen

168 Frauen hat Wünsch in eineinhalb Jahren bis Mai 2000 als Partnerinnen im Team aufgebaut, woraus in der Spitze ein Teamumsatz von monatlich einer halbe Million D-Mark resultierte. Aus vielen Gastgeberinnen wurden Vertriebspartnerinnen, die alle auf einen ordentlichen Nebenverdienst kommen konnten. Am Schluss gab es nämlich immer den freundlichen Hinweis des Partymachers Wünsch: „Wenn Sie jemanden kennen, der noch Platz im Geldbeutel hat, außerdem Zeit und Lust, mir zu helfen, freue ich mich über jede Empfehlung, denn die Nachfrage ist groß." Das Francesca-Konzept begeisterte ihn: Er durfte Seminare veranstalten, die Frauen auf Geschäftskosten schulen, für potenzielle Teampartner gab es den Besuch in Hamburg, mit Programm und Ausgabe der Kollektion. Alles top. Der beste Homeparty-Verkäufer im Unternehmen war Ralf Wünsch. „Keine Frau hat mich beim persönlichen Verkauf in dieser Zeit übertroffen." Mit sechs bis acht Homepartys im Monat hatte er 10.000 D-Mark Umsatz in der Kasse – das war immer sein Monatsziel. Seine beste „Party" war mit 4.800 D-Mark Umsatz der „Italienische Abend" mit sieben Lehrerinnen, die anfangs nicht so aussahen, als ob sie etwas kaufen wollten.

Jähes Ende des Mode-Höheflug

Das Jahr 2000, ein neues Jahrhundert. Zehn Jahre waren seit seinem hauptberuflichen Start im Network-Marketing und fünf Jahre nach seinem ersten Tiefpunkt in der legendären Geburtstagsnacht in der Night-Melodie vergangen. Zehn Jahre mit Höhen und Tiefen, aber immer hart in oder nahe an der Erfolgsspur. „Francesca Lifestyle". Das Unternehmen schien solide, eine Familienunternehmung mit klarer Haltung und Werten. Die Produkte waren hochwertig, das Konzept gut und wurde von Wünsch nahezu perfektioniert. 200 eigene Wohnzimmer-Events. Alles war gut. Ein Eigenheim im Bau, die Abzahlung der mittlerweile 500.000 D-Mark Verbindlichkeiten war getaktet.

Im Mai 2000 ging Francesca Lifestyle in Konkurs. Angedeutet hatte es sich bereits im 1. Quartal 2000, als die Lieferfähigkeit durch die guten Umsätze vom Team Wünsch immer schlechter wurde – es fehlte die Liquidität, um das Wachstum zu bewältigen. Ralf Wünsch war wieder einmal gescheitert, diesmal im Prinzip unverschuldet. Wenn er allerdings etwas weniger seiner Emotionalität und mehr seinem kaufmännischen Sachverstand gefolgt wäre, hätte er sich die Bilanzen genauer anschauen müssen. Hätte. Warum auch die Solidität, sprich Liquidität, ein wichtiger Faktor gerade bei einem Network-Marketing Unternehmen ist, sollte er bald bei PM International lernen. Zehn Jahre nach seinem Start und fünf Jahre nach seinem legendären

Geburtstags-Drama in der Night-Melodie war dieser zweite Tiefpunkt nicht weniger dramatisch. Zumindest finanziell. 500.000 D-Mark Verbindlichkeiten mitten im „Hausbau" (nur Rohbau, Fenster und Dach waren fertig), null Perspektive und zehn Jahre älter. Mit 35 Jahren und einem Riesen-Schuldenberg wieder gescheitert. Einziges Einkommen war das kleine Gehalt von Ulrike als Zahnarzthelferin. Wünsch wurde jetzt wieder Handwerker auf seiner eigenen Baustelle im Eigenheim. Nur wenige gute Handwerker konnte er für den Innenausbau noch vom „Baugeld" bezahlen, da er Teile davon für die Familie zum Leben benötigte. Dass er einen neuen Freund hatte, half ihm auch nicht, denn dass Alkohol keine Lösung in Problemsituationen ist, war ihm eigentlich klar. Aber er half, zu vergessen. Network-Marketing, seine Vision, seine Profession, sein Können? Sollte das alles ein Irrtum gewesen sein?

Alkohol ist auch keine Lösung

„Nach dieser Pleite war nichts mehr an Motivation vorhanden." Es waren schlimme fünf Monate. Kein Bock auf irgendwas, kein Sport, viel Alkohol und eine ordentliche Gewichtszunahme. Vom einstigen durchtrainierten Fußballer war nichts mehr geblieben. Als eine Bewerbung bei einer Versicherungsagentur scheiterte – bei der er sich unter Wert beworben hatte und dennoch nicht genommen wurde – war die Welt endgültig aus dem Lot. Die Privatinsolvenz drohte, die

Beziehung stand auf der Kippe. Bis dann wieder eine Tür aufging.

KAPITEL FÜNF

RALF WÜNSCH UND PM

D en 20. September 2000 wird er auch nie vergessen. Es war ein Mittwoch, als das Handy klingel-
te. „Hier ist Franz, ich brauche dich, es ist die Chance
deines Lebens – kauf dir ein Ticket und komm schnell
nach Ibiza."

Der Anruf veränderte erneut alles. Franz Brandmüller war mittlerweile Unternehmensberater und für die
PM International GmbH tätig. PM International, gegründet im August 1993 durch Rolf Sorg, ehemals die
Nummer 1 der Liguma GmbH aus Vaihingen/Enz,
war kurz davor, sich als mittelständisches Network-
Marketing-Unternehmen aus der Pfalz mit dem Focus
Premium Nahrungsergänzungsmittel in Deutschland
und auch in einigen Ländern Europas zu etablieren.

Franz Brandmüller wusste, was bei Wünsch passiert
war. Insolvenz von Francesca Lifestyle, bevorstehende
Privatinsolvenz – eine komplette Voll-Katastrophe in
allen Bereichen.

Brandmüller glaubte jedoch an seinen „Lehrling" und
verfolgte, was dieser sich durch den Bereich Homepartys bei Francesca zusätzlich an Know-how angeeignet
hatte. Darüber hinaus glaubte er fest an Wünsch, wusste auch aufgrund der gemeinsamen LR-Vergangenheit,
was dieser zu leisten im Stande war. Brandmüller als
alter Profi machte das, was ein guter Networker bei der
Terminierung machen muss: Er lobte in den höchsten
Tönen. Ralf Wünsch erinnert sich: „Die Mechanismen
mit allen rhetorischen Feinheiten waren mir bewusst,

trotzdem kannst du dich in so einer Situation nicht dagegen wehren." Natürlich fühlte er sich geschmeichelt. „Das tat gut nach dem ganzen Mist der vergangenen Monate." Aber die Zweifel waren auch da. Zweifel am Network-Marketing. Die Flamme für das Business war klein geworden. La Fontaine wurde gekauft, bei LR wurde ihm vom Chef die Freundin ausgespannt und Francesca Lifestyle ging pleite. „Nur Pech? Ist das doch nicht mein Metier? Habe ich die Kraft, noch einmal neu zu beginnen?" und: „Lag irgendetwas vielleicht doch an mir?" – eine seltene Frage von Wünsch an Wünsch.

Zweimal nein, einmal ja. „Lösungen suchen", das war der Antrieb. PM war für Ralf Wünsch kein unbeschriebenes Blatt, aber nie wirklich interessant für ihn gewesen. Gründer und Vorstand Rolf Sorg hatte er positiv in Erinnerung und Franz Brandmüller war immerhin zweimal sein Förderer. Und Ibiza ist für einen 35-Jährigen nicht unbedingt ein schlechter Ort für einen Termin, für einen, der fast am Boden lag. Also war die Entscheidung gefallen, trotz der Bedenken von Ulrike: Wieder einmal der Franz Brandmüller, der, von dem sich ihr Ralf immer schnell fangen lässt. Ulrike ahnte, was passieren würde.

Ziele immer auf die Mitte

Drei Tage später saß Ralf Wünsch im Flieger nach Ibiza. Franz Brandmüller empfing ihn am Airport und nahm ihn mit ins Hotel. Hier gab es die erste Überraschung, die den Beginn seiner Karriere bei PM markieren sollte: „Die meinen es aber gut mit mir", sinnierte Ralf Wünsch beim Beziehen seines Zimmers. Eine Suite mit 200 Quadratmetern, Dachterrasse, Meerblick inklusive. Dass das die Suite von Rolf Sorg sein sollte, stellte sich erst einen Tag später heraus. Ein Missverständnis des Hotels.

Ibiza, 24. September 2000. Am Tresen des Hotel-Pools hatte Franz Brandmüller drei Dosen mit Fitline-Produkten aufgebaut. „Activize, Basics, Restorate ist unser Optimal-Set gemäß dem Motto: Morgens Activize, mittags Basics, abends Restorate", erklärte Brandmüller. Ralf hörte interessiert, jedoch noch wenig begeistert zu, bis Brandmüller zur Einzigartigkeit des Nährstoff-Transport-Konzeptes (NTC) kam und Ralf einen gut dosierten Activize probieren musste. „Das NTC bringt die Nähstoffe in wenigen Minuten an den Ort ihrer Wirkung auf Zellebene – Activize spürbar, eine Sauerstoffdusche von innen", fuhr Brandmüller weiter fort und demonstrierte weiter, indem er das flüssige und fettlösliche Q10 in ein Wasserglas träufelte und sich die fettlösliche Substanz Q10 mit Vitamin E mit dem Wasser mischte. Normalerweise schwimmt Fett auf Wasser.

Das schien interessant. Emotional gefangen wurde er wenig später, als er plötzlich die Wirkung von Activize spürte. Wärme und Kribbeln in den Ohren und dann an vielen Stellen des Körpers. Eine Erfahrung, die potentielle Fitline-Kunden alle machen, denn das

Activize entfaltet die spürbare Wirkung schnell.

Ralf Wünsch war nach der Anreise und den anstrengenden Wochen schlagartig wieder „on fire". Oder wie er heute sagt: „Das war der Moment, bei dem es für mich Klick gemacht hat."

Jetzt war er wieder angefixt. „Mir war sofort klar, dass ich ein außergewöhnliches, einzigartiges Konzept mit Sofortwirkung vor mir hatte." Seine Begeisterung war immens, möglicherweise sogar eine Spur zu intensiv. Aber ein Ralf Wünsch braucht diese Besessenheit. „Ich kenne keinen erfolgreichen Network-Verkäufer, der nicht von seinem Produkt begeistert ist." Ihm sei sofort klar gewesen: „Ich habe Gold in den Händen."

Jetzt ging es ums Geld verdienen, Geschäftsaufbau: wie funktioniert dieser bei PM? Wünsch wusste, dass der Marketingplan – das Verdienstsystem – die Arbeitsweise bestimmt und Brandmüller erklärte: „Der PM Marketingplan ist aufgebaut wie eine Treppe nach oben, die Eintrittskarte und quasi erste Stufe ist die Position Manager – die höchste und letzte Treppenstufe, der Gipfel, die Position Champion's League. Wo wollen wir hin?", fragte Brandmüller und beantwortet diese Frage umgehend selber. Natürlich Champion's League (CL). CL bedeutet eine Million Teamumsatz.

Brandmüller drehte bei diesen Worten den PM Marketingplan um – jetzt stand CL an erster Stelle und Brandmüller zeigte auf die zweite Voraussetzung zum Erreichen der CL. Neben dem Teamumsatz von einer Millionen stand die Zahl fünf.

„Fünf bedeutet, ein Team von fünf persönlichen Schlüsselpersonen aufbauen, die genauso verrückt sind wie du selbst. Menschen, die ebenfalls ein brennendes Verlangen haben, um selbstbestimmt zu sein und finanzielle Freiheit zu erreichen." Brandmüller war sich sicher: „Ralf, das ist ein Ziel, das wir gemeinsam erreichen werden."

Seine Empfehlung: „Ziele immer auf die Mitte und du wirst alles andere treffen." Ein Lehrsatz des 2012 verstorbenen Lehrmeisters, zu dem er und Wünsch ein besonderes Verhältnis hatten. Noch am Abend rief er seine Lebensgefährtin Ulrike an: „Schatz, unsere Probleme gehören der Vergangenheit an, ich habe eine Lösung, alles wird gut." Er war wieder einmal schwer begeistert, obgleich er heute feststellt: „Wenn ich damals geahnt hätte, welcher langer Weg noch vor mir lag, hätte ich vermutlich weniger euphorisch reagiert."

Das Angebot von Rolf Sorg

Der nächste Tag sollte noch schicksalsträchtiger werden. Nach einer aufgrund der entstandenen Euphorie langen Nacht in Ibiza-Stadt traf Ralf Wünsch im Hotelflur auf das Ehepaar Sorg. Vicki und Rolf, der ihm zunächst etwas vorsichtig zurückhaltend begegnete. Aber weil sie sich aus den alten Zeiten bei Liguma kannten, reagierte Ralf als Erster: „Hallo Rolf, schön, dich zu sehen." Sorg war auf die Begegnung vorbereitet, denn Wünsch war von Franz Brandmüller in höchsten

Tönen gelobt worden. Überliefert ist noch diese An-
ekdote: Das Sechs-Augen-Gespräch mit Sorg-Wünsch-
Brandmüller sollte auf Wunsch des Firmenchefs auf
der Terrasse der Wünsch-Suite stattfinden, weil das
Zimmer des Firmenchefs dazu zu klein gewesen wäre.
Das Missverständnis des Hotels wurde von Sorg nicht
erwähnt, er überließ dem Neuankömmling die groß-
zügige Unterkunft.

Die Rolf Sorg-Story

Rolf Sorg war mit Hilfe seines Vaters Dieter im Bereich Controlling jetzt auch kaufmännisch mit PM gut aufgestellt. Wie Vertrieb und Verkauf funktionierten, hatte er ja schon bei Liguma bewiesen und war somit auf dem besten Weg, die PM International auch unternehmerisch zum Erfolg zu führen. Nach der Liguma-Kündigung gab es für ihn damals die Überlegung, sein gespartes Kapital in eine Erdbeerplantage in Kenia zu investieren, das verriet er auch in der Chronik zum 25-jährigen PM-Jubiläum. Die Idee hatte er bei etlichen Urlauben in Kenia geschmiedet, einem Land, in dem sich günstig leben lässt. Andererseits machte ihm der Gedanke schon zu schaffen, seine Führungskräfte bei der Liguma, die noch nicht, wie er, finanziell frei waren, im Stich zu lassen. Es war schließlich sein Team, das er aufgebaut hatte und er fühlte sich verantwortlich.

Mitten in seine Überlegungen kam der Anruf vom damaligen Liguma-Konkursverwalter, der auf einem großen Warenbestand saß, der faktisch unverkäuflich war. Er hatte schnell herausgefunden, dass die Hälfte des Liguma-Umsatzes von einem Mann und seinem Team verantwortet wurde: Rolf Sorg. Doch das Angebot, die Produkte nur zu verkaufen, war Sorg zu wenig. Wenn allerdings ein Hersteller gefunden würde, der mit ins Boot genommen werden könne, wäre eine Zukunft in dem Metier denkbar. Der war schnell gefunden, nämlich Dieter Lütterfelds, ein Verpackungsmaterialhersteller, der ebenfalls von dem Konkurs merklich getroffen war, denn er hatte jetzt einen Warenbestand von zwei Millionen Euro übrig Im Tausch für seine nicht realisierbaren Forderungen übernahm er im Konkursverfahren Maschinen und Rohmaterial. Der Grundstein für die Produktion war gelegt.

Am 1. August 1993 gründete Rolf Sorg die P.M. Cosmetics GmbH im pfälzischen Limburgerhof, nahe Ludwigshafen, die später in PM International umfirmiert wurde.

Dieter Lütterfelds, der erst einmal froh war, dass die produzierte Ware im Konkursverfahren nicht wertlos geworden war, war anfänglich sogar Partner von Rolf Sorg bei der PM. Den größten Teil der Führungskräfte der Liguma nahm Rolf Sorg mit in das neue Unternehmen PM. Mit einem Eigenkapital von einer Million D-Mark, seinem gesamten gesparten Vermögen, und einem Kredit in gleicher Höhe wurde gestartet. Der Traum von einer Erdbeerplantage in Afrika war ausgeträumt, stattdessen startete er mit dem Direktvertrieb von Parfüm und Kosmetik, der faktischen Fortsetzung des Liguma-Geschäftes unter eigener Regie. „Mein Start erfolgte nicht wie bei den berühmten US-Firmen aus einer Garage, sondern aus dem Keller meines Opas in Limburgerhof", schreibt Rolf Sorg in seiner Vita anlässlich des 25. Jubiläums von PM International im Jahre 2018. Der Start war allerdings keineswegs reibungslos, denn die LR aus Ahlen, Helmut Spikker, wollte den Newcomer im Keime ersticken und versuchte mit einstweiligen Verfügungen und dem Abwerben von Führungskräften PM massiv zu vernichten. Zwei Jahre lang konnte Sorg aber alle Angriffe abwehren, getreu dem Motto: „Hindernisse sind dazu da, um aus dem Weg geräumt zu werden und beim Aus-dem-Weg-Räumen wachsen dann neue Muskeln."

Zwei Jahre lang verkaufte PM allerdings hauptsächlich den großen Warenbestand aus dem Liguma-Sortiment. Mit 4,5 Millionen D-Mark Umsatz war das Unternehmen durchaus erfolgreich.

Der Durchbruch kam erst durch einen Zufall. Rolf Sorgs Oma ging es nicht gut, sie baute mit damals 81 Jahren immer mehr ab. Kurz nachdem Sorg das von seiner Mutter erfahren hatte, stolperte er in der Tageszeitung „Rheinpfalz" über eine Anzeige: „120 Jahre durch Q10". Mit der Oma im Hinterkopf, die ihn immer liebevoll unterstützt hatte und ihm sehr am Herzen lag, recherchierte Sorg und hatte alsbald einen Termin bei einem Repräsentanten eines amerikanischen Unternehmens von Paul und Mitchell, der die Wirkweisen des Q10 in den USA erforscht hatte. Dieser suchte ein Unternehmen, um das Produkt auf den europäischen Markt zu bringen. Sorg erkannte seine Chance und die Bedeutung des Produkts. Zitat aus der Chronik: „Q10 brachte mich auf den Präventionsgedanken, Menschen zu helfen, gesund zu bleiben, anstatt sich erst Gedanken zu machen, wenn sie schon krank sind." Menschen zu helfen, mit hoher Lebensqualität bis hin ins hohe Alter zu leben, die Idee gefiel ihm.

Die erste Dose Q10 ging sofort an die Oma, die erst viele Jahre später bei bester Gesundheit im gesegneten Alter von 92 Jahren starb. Für Rolf Sorg war diese erste Erfahrung mit Q10 das Schlüsselerlebnis und damit der Einstieg von PM in ein neues Geschäftsfeld. Q10 wurde 1995 als erstes Nahrungsergänzungsprodukt von PM vertrieben.

Meilenstein mit Larry Thompsen

Als Ralf Wünsch auf Ibiza mit Rolf Sorg ins Gespräch kam, war PM International auf dem besten Weg, ein etabliertes Unternehmen auf dem europäischen Markt zu werden, was an einer schicksalshaften Begegnung mit Larry Thompsen lag, dem Mitgründer von Herbalife, dem größten Network-Marketing Unternehmen im Bereich Nahrungsergänzung in den USA. Thompsen hatte sich mittlerweile von Herbalife getrennt, um ein weiteres Unternehmen auf diesem Sektor zu etablieren. Dass sich die Network-Legende Thompsen, der Millionär aus Kalifornien, überhaupt mit dem kleinen Unternehmer aus der Pfalz treffen wollte, galt alleine schon als Überraschung in der Branche. Den ersten Termin in Wiesbaden hatte eine nach Deutschland entsandte Dame namens Carolyn Tarr organisiert, auch diese Begegnung sollte wieder schicksalhaft werden.

Zum Larry-Thompsen-Meeting mit 700 Zuhörern war Rolf Sorg mit seinen Führungskräften angereist, was die Amerikaner mit Interesse zur Kenntnis nahmen. Erste Hürde mit Bravour genommen, nach einem Gespräch mit dem Amerikaner durfte Sorg weiter auf eine Zusammenarbeit hoffen. Die zweite Hürde stand in den USA. Wieder ein Termin mit Larry Thompsen, wieder organisiert von Carolyn Tarr, deren Tochter Vicki eine der Assistentinnen von Larry Thompsen war. Für Rolf Sorg war das Liebe auf den ersten Blick, die nicht nur sein privates Leben beeinflusste, sondern auch das Unternehmen profitierte, denn Vicki, die er später heiratete, sorgte mit ihrer Mutter Carolyn dafür, dass sich Larry Thompsen zu einer Kooperation mit der PM International mit Sitz in Frankenthal entschied. Ein weiterer Punkt für den Durchbruch war neben der erfolgreichen Zusammenarbeit mit Larry Thompsen die von Sorg vorangetriebene Idee, hochwertige Gesundheitsprodukte mit Alleinstellungsmerkmalen selber zu entwickeln. Q1O war erst der Anfang...

Das Angebot in Ibiza

25. September 2000. Das Gespräch mit Rolf Sorg und Franz Brandmüller auf der Terrasse der Sorg/Wünsch-Suite verlief freundschaftlich professionell. Ein klassisches 2:1-Gespräch. Sein Sponsor Franz mit seinem Sponsor Rolf. Was die von ihm noch zusätzlich wollten, war Wünsch zunächst nicht ganz klar. Die Entscheidung PM-Teampartner zu werden, war am Vorabend bereits gefallen – warum dann ein Gespräch mit dem Firmenchef?

Franz Brandmüller hatte ganze Arbeit geleistet und Rolf Sorg über die Karriere und Fähigkeiten von Ralf Wünsch informiert, mit allen ihren Höhen und Tiefen. Zu den Höhen gehörte das Engagement bei Francesca Lifestyle. Die Homepartys standen im Fokus des Interesses von PM. „Es gibt keinen Besseren, der Homepartys kann als Ralf Wünsch", hatte Brandmüller geschwärmt. Eine halbe Million D-Mark Monatsumsatz mit 168 Frauen als Teampartner konnte sich sehen lassen. „Wir wollen, dass du uns ein Homeparty-Konzept mit der Fitline Philosophie lieferst", sagte Rolf Sorg fokussiert. „Adaptiere das Francesca-Konzept auf PM." Sein Angebot: 6.000 D-Mark als Fixum gegen Rechnung für sechs Monate, plus Spesen. Bedingung: Wünsch musste vor Ort vom Firmensitz in Frankenthal arbeiten. Das expandierende Unternehmen war schon nach einer kurzen Anlaufphase in Limburgerhof in eine ehemalige Nähmaschinenfabrik in Frankenthal gezogen. Nicht repräsentativ, aber funktional. Der Start sollte zeitnah erfolgen, sobald Wünsch in der westfälischen Heimat sein Bauprojekt so abgeschlossen hatte, dass seine kleine Familie einziehen konnte. Natürlich sollte Wünsch auch als Teampartner sein eigenes Team aufbauen und dazu einen neuen Vertriebsleiter Deutschland suchen. Der bisherige Vertriebsleiter Deutschland, Alexander Plath, einer der Gründungsmitglieder der PM, wollte zeitnah in den Auslandvertrieb der PM wechseln. Dass Wünsch sich selbst als Vertriebsleiter finden sollte, ahnte er damals noch nicht.

Das Fitline-Basiswissen

Nach der Offerte auf der Terrasse, die mit Handschlag besiegelt wurde, ging es ins Malibu, einem Beachclub, mit der damals besten Champager-Sangria der Insel. Hier unterschrieb Ralf Wünsch im Beisein von Vicki Sorg seinen Teampartner-Antrag mit der Nummer 25002. Der offizielle Beginn seiner PM-Karriere. Später am Abend traf er beim Essen in Ibiza Stadt etliche bekannte Teampartner aus seinem Engagement bei der Liguma. Die Freude war groß. Insgesamt 80 Teampartner hatten sich für das PM Reise-Incentive 2000 auf Ibiza qualifiziert, was Wünsch zusätzlich sehr beeindruckte – „PM funktioniert".

Ibiza war von 1997 bis 2013 das Kult-Reise-Incentive der PM, die Europatour, die bis heute immer im September stattfindet. Neben der Provision und dem PM-Autoprogramm sind die Reise-Incentives eines der Erfolgswerkzeuge für den Vertriebsaufbau. Wertschätzung, Empathie und Geselligkeit, die drei Faktoren für den Erfolg. Wünsch nutzte diese im Laufe der Jahre nahezu perfekt für seinen Geschäftsaufbau.

Beim Abendessen saß Ralf neben Dr. Gerhard Schmitt, dem damaligen Leiter des wissenschaftlichen Beirats von PM. „Ein großes Glück für mich, dass ich an diesem Abend direkt neben ihm sitzen durfte", bilanziert Ralf Wünsch heute. Der Wissenschaftler erläuterte dem Newcomer die Fitline-Philosophie mit den wichtigen Basis-Informationen quasi aus erster Hand.

Beispielsweise, dass der Zellzyklus im Körper über 90 Tage angelegt ist, was bedeutet, dass die Fitline-Produkte beziehungsweise deren Wirkung erst nach dieser Zeit beurteilt werden sollten – in der Praxis kommen die ersten spürbaren Effekte nach wenigen Minuten gemäß dem Fitline Motto: Resultate. Erleben.

Wünsch erfuhr darüber hinaus von den zwei Zielgruppen: Das Zellenergie-Konzept mit den Basisprodukten Activize und Basics, die als Powercocktail am Morgen getrunken werden, und Restorate für die Regeneration am Abend sowie dem Gewichtsmanagement-Konzept (Restorate zur Entgiftung des Körpers und die Shakes, die Mahlzeiten ersetzen und in der Folge das Gewicht reduzieren).

„Aber was und wem nutzen die Nährstoffe, wenn sie nicht dort ankommen, wo sie benötigt werden – nämlich auf der Zellebene", fragte der Wissenschaftler rhetorisch, um die Antwort gleich selbst zu geben: „Bei Fitline gibt es keine Umwege".

Das NTC als Schlüssel des Erfolgs

Ralf Wünsch war begeistert, als er das Nährstoff-Transport-Konzept aus erster Hand erläutert bekam – er spürte es mittlerweile täglich durch die Einnahme von Activize selbst. Bioverfügbarkeit sei der Schlüssel zum Erfolg, so Gerhard Schmitt. Ist diese optimal, erhalten Körperzellen, was sie brauchen. Grundlage der Produktlinie bei Fitline sei daher das exklusive Nährstoff-Transport-Konzept (NTC). Dieses ziele auf eine möglichst optimale Bioverfügbarkeit der in den Produkten enthaltenen Nähr- und Inhaltstoffen nach GMP, dem höchsten Qualitätsstandard bei deren Herstellung. Schmitt: „Das exklusive NTC-Nährstoff-Transport-Konzept bringt die Nährstoffe immer genau dann, wenn sie gebraucht werden, genau dorthin, wo sie gebraucht werden – auf die Zellebene."

Ralf Wünsch verstand sofort, war fasziniert und hoch motiviert.

Der Start bei PM

Nach der Rückkehr in Ahlen war die Freude groß, Ulrike war glücklich, als Ralf von seinem neuen Engagement berichtete. Die 6.000 D-Mark waren erstmal wieder eine finanzielle Absicherung, aber noch wichtiger war die entflammte Begeisterung bei Ralf Wünsch, der wieder ein Ziel hatte. Karriere bei PM. Mit den ersten Fitline-Produkten brachte er sich wieder in

Form, nahm im ersten Monat acht Kilo ab, sah – nach eigenem Bekunden – wieder passabel aus, als er beim ersten PM-Meeting in Aschaffenburg am 30. September teilnahm, dem großen Treffen der PM-Teampartner, professionell moderiert von Alexander Plath. An seinen ersten kurzen Bühnenauftritt in Aschaffenburg erinnert sich Ralf Wünsch noch genau, weil er ja die erste Schlüsselposition – Manager – im PM Marketingplan erreicht hatte. Wünsch verinnerlichte an diesem Tag schnell die Vertriebs-Philosophie der PM. Er hatte seine Ziele wieder vor Augen, auch wenn vorher noch andere Aufgaben auf ihn warteten, war dieser Tag Motivation pur.

Erste PM-Station Frankenthal

Am 6. November bezog er im Victors Hotel Frankenthal sein Zimmer und bekam einen Schreibtisch in der Firmenzentrale. Irgendwo im Getümmel der Bestellannahme.

Die Aufgabe war klar: Ein Konzept für die Homepartys erstellen. Wünsch schnürte zwei Pakete: Gewichtsmanagement-Set und Zellenergie-Set für jeweils 90 Tage, alles andere wäre gemäß dem Zellzyklus von 90 Tagen unlogisch, so hatte es der Wissenschaftler gelehrt. Alles schön verpackt in gestylten Koffern. Dazu gab es das Unterlagenset mit Gästelisten, Einladungskarten und einem Bandmaß, um die Körpermaße feststellen zu können. Ein schlüsselfertiges Konzept, mit dem Wünsch zunächst die Führungskräfte begeistern und überzeugen sollte. Nach sechs Wochen waren alle Unterlagen bereits fertig und das erste Führungskräfte-Meeting im pfälzischen Neustadt veranstaltet. „Wellnessabend Konzept", war das Stichwort für die 30 anwesenden und sehr interessierten Führungskräfte. Wünsch: „Alle waren anschließend begeistert, die klare Struktur, die Unterlagen und der einfach verständliche Leitfaden. Vorbereitung, Durchführung und Nacharbeit eines Wellness-Abends schlug ein wie eine Bombe." Der nächste Schritt war die Übertragung des Geschäftsmodells ins Ausland. Die Finnen griffen als erste zu. Drei Wochen später war Ralf Wünsch nach Finnland eingeladen, die Unterlagen gab es dort als erstes in Landessprache und auch hier war die Begeisterung riesig. Wünsch: „Homepartys mit der richtigen Strategie, einem strukturierten Ablauf und den richtigen Produkten funktionieren immer, egal in welchem Land." Ralf entwickelte weitere Schulungskonzepte und durfte beim Leadership-Meeting als Special-Guest zusammen mit Franz Brandmüller referieren. Nun schien Ralf Wünsch endgültig in der neuen PM-Welt angekommen.

Freilich, der rasante Aufstieg wurde nicht von allen Führungskräften anfänglich positiv bewertet. „Ach, da ist ja unser Pulloververkäufer: so einen Satz vergisst du so schnell nicht", sagt Ralf Wünsch heute über die erste Begegnung mit der damaligen Nr. 1, Carsten Ledulé – er hatte schon nettere Formen der Begrüßung erlebt. Erst war es Ärger, dann zusätzliche Motivation, mit dem wichtigen Satz im Hinterkopf: „Was der Kleine mit der Brille...". Verfeinert mit dem Slogan von Rolf Sorg: „If I can do it, you can do it". Was ich kann, kannst du auch.

KAPITEL SECHS

DIE ANFÄNGE BEI PM

Sieben Wochen lang habe ich praktisch rund um die Uhr gearbeitet und war an Weihnachten erstmals wieder zu Hause – es waren sieben Wochen ab November 2000, in denen Ralf Wünsch den Grundstock für seine Karriere bei PM International gelegt hat. Sieben Wochen, in denen der aus dem beruflichen Nichts zu PM International gekommene Ralf Wünsch eine erstaunliche Karriere hingelegt hat. Vom Voll-Katastrophen-Networker zum Vertriebsleiter.

Es war eine schöne Heimfahrt zum Weihnachtsfest mit der Familie in Ahlen. Alles schien wieder einmal gut zu laufen. Ralf Wünsch war wieder einmal glücklich. Aber das war nur eine Momentaufnahme. Aus heutiger Sicht sagt er: „Es war gut, dass ich damals nicht gewusst habe, was auf mich zukommen wird." Aber warum war wieder eine Tür für ihn aufgegangen?

Als Wünsch Anfang November zu PM kam, hatte er von Rolf Sorg drei Aufgaben gestellt bekommen: Ein Homeparty-Konzept für die Fitline-Produkte entwickeln, einen Vertriebsleiter suchen und selbst als Teampartner aktiv werden. Letzteres war aber nicht umsetzbar. „Ich wurde von Anfang an von Rolf Sorg gefühlte 24 Stunden vereinnahmt und war praktisch sein Assistent." Er habe rund um die Uhr gearbeitet, musste oder durfte den Firmenchef bei vielen Meetings begleiten, auch bei einer Auslandsreise nach Russland war er dabei. Wünsch als Lernender. „Ich habe gesehen, wie er arbeitet, wie er tickt und für welche Philosophie das Unternehmen PM steht."

Das Leadership-Meeting

Schon vier Wochen nach seinem Beginn war er beim Leadership-Meeting dabei, dem Jahresabschluss-Treffen für die Führungskräfte, das immer Anfang Dezember veranstaltet wird. Die „große" Runde traf sich im Pitztaler Hotel „Andy" in Tirol. Gemeinsam mit seinem Mentor Franz Brandmüller sollte der Newcomer über zwei Schulungsthemen der täglichen Arbeitsmethode (im Network tituliert als TAM) vor den Führungskräften referieren. Ralf Wünsch: „Das war schon eine Herausforderung, dass ich, der erst wenige Wochen dabei war, den Führungskräften die Methoden der täglichen Arbeitsmethode in Erinnerung rufen sollte."

Aber warum muss einer den Führungskräften erklären, wie das Geschäft funktioniert?

Antwort Wünsch: „In jedem Meeting erzählt Rolf Sorg seit 23 Jahren gebetsmühlenartig die Philosophie von PM, er erläutert das Nährstoff-Transport-Konzept und erinnert an die Basics." Weil auch immer wieder neue Führungskräfte mit an Bord seien, aber auch, um einen alten Lehrsatz der Vertriebler zu erfüllen: „Etwas als gegeben vorauszusetzen, ist der Tod des Vertriebes."

Das ständige Wiederholen der Basis-Komponente sei immens wichtig, um den Focus auf Kurs zu halten. Weil der junge Unternehmenschef offenbar erkannt hatte, dass Wünsch strukturiert arbeitete, sei er in den Genuss einer persönlichen Förderung durch den Firmenchef gekommen. „Das war Anerkennung und ein

Rolf Sorg.

Vertrauensvorschuss gleichermaßen", glaubt Wünsch im Rückblick.

Jedenfalls sei er mächtig nervös gewesen, als er damals beim Leadership auf die Bühne musste, um die Basis der täglichen Arbeitsmethode, Namensliste und Terminierung, zu referieren. Wünsch: „Ein Rolf Sorg fordert und fackelt nicht lange, da wird nicht gefragt, ob etwas geht, es wird einfach vorausgesetzt, kurzum: gemacht." Punkt.

Wie tickt Rolf Sorg?

Strukturiert erklärt Ralf Wünsch das so: Der Firmengründer sei immer fokussiert auf die gesetzten Ziele, die immer der Firmen-Philosophie entsprechen müssten, dazu gehörten schon damals die wirtschaftlichen Basics eines Familienunternehmens: Mit möglichst hohem Eigenkapital arbeiten, Schulden vermeiden und jederzeit vom Produktkonzept überzeugt sein.

Dazu eine Philosophie, die von Kirchenvater Augustinus 350 vor Christus überliefert ist: „Nur wer selbst brennt, kann Feuer in anderen entfachen." Das alles gepaart mit einem immensen Vertrauen in Menschen. Wenn er von einem Mitarbeiter überzeugt sei, was auch nur seinem Bauchgefühl entsprechen könne, werde der gefördert. Ein Rolf Sorg blicke stets auf das, was jemand geleistet habe und nicht darauf, was er rede.

Am meisten angetan war Wünsch von der Zielorientierung des Chefs, der einem einmal ausgegebenen

Plan ganz viel unterordne und sich selbst in die Pflicht nehme, im Notfall auch mit negativen Begleiterscheinungen, wie dem Verzicht auf lieb gewordene Gewohnheiten, wenn die das Ziel gefährden könnten. Das hat Ralf Wünsch schnell adaptiert. Fokussieren bedeutet auch, Nebenkriegsschauplätze auszublenden, um das Ziel nicht zu verwässern. Wünsch: „Das zu sehen, das zu lernen, hat mit sehr geholfen."

Rolf Sorg habe auch schon immer die Weitsicht gehabt, seine Produkte nicht irgendwelchen Modetrends zu unterwerfen. Beispielsweise als die gesamte Branche im Jahr 2001 den „Aloe Vera-Trend" als neues Wundermittel im Bereich Nahrungsergänzung entdeckt hatte und auch Führungskräfte im eigenen Haus empfohlen hatten, den Powercocktail – rein aus Marketingsicht – mit Aloe Vera anzureichern, sagte Sorg Nein. Für die Fitline-Produkte stehe das NTC und das gelte es weiter zu optimieren und nichts anderes. Basta.

Wünsch: „Ich habe auch gelernt, dass niemand sich auf einem Erfolg ausruhen darf. Auch wenn ein Meeting noch so erfolgreich gewesen ist, gab es immer eine Nachbesprechung, bei der alles protokoliert wurde, was beim nächsten Mal noch zu verbessern, beziehungsweise als Standard mit aufzunehmen sei."

Das bedeutet in der Konsequenz auch, dass einem erreichten Ziel ein neues Ziel folgen muss. „Als die erste Umsatz-Milliarde im Jahr 2019 erreicht war, dachten wir, dass er jetzt ‚ruhiger' werde, aber dann hat Sorg beim Leadership-Meeting die Möglichkeit von 36 Milliarden als Fitline-Potential im Premium Segment an die Wand geworfen – so tickt Rolf Sorg."

Ein anderes Beispiel: Beim Leadership-Meeting 2001, wieder im Pitztal, waren am Sonntagvormittag, am Abschlusstag, einige Herren „abreisefertig" bequem im Freizeit-Look erschienen. Rolf Sorg bemerkte dies und referierte dann über die Wichtigkeit des äußeren Erscheinungsbildes und der damit verbundenen Einstellung. Wünsch: „Das machte er in seiner unnachahmlichen Art, nett, freundlich, subtil, aber sehr bestimmt, sodass es alle verstanden – die meisten nutzen die nächste Pause, um wieder im Anzug zu erscheinen."

Der Firmenchef als Kumpel?

„Nein", sagt Wünsch, das sei der Chef auch nach 22 Jahren nicht. Er beschreibt die Beziehung als ein freundschaftliches und von viel gegenseitiger Achtung gekennzeichnetes Verhältnis. Damals wie heute sei Sorg für ihn eine Respektsperson mit einer natürlichen Autorität, trotz zahlreicher gemeinsamer Riesling-Treffen unter vier Augen.

Erinnerung: Den offiziellen Besprechungsterminen folgten damals in den Anfangsjahren immer mal wieder die Besuche in der „Medenheimer-Stube" in Neuhofen am Rhein, mit Flammkuchen, Muscheln und Riesling. Sie duzten sich zwar, aber es war nie eine Duz-Freundschaft. Rolf Sorgs Ausstrahlung habe immer für eine natürliche Autorität gesorgt, die immer vorhanden war und die bis heute vorhanden ist, so Wünsch. Es sei jederzeit klar erkennbar, dass Rolf Sorg der Chef ist. Wünsch: „Es ist wie beim Fußball, da gibt es Trainer, die lassen sich von den Spielern duzen, haben aber ein solches Ansehen, dass alle wissen, wer das letzte Wort hat."

Übrigens: Großes Lob ihm gegenüber sei von Sorg in seiner Zeit als Vertriebsleiter nie zu erwarten gewesen, auch wenn der mit seiner Arbeit und seinem Einsatz fast immer sehr zufrieden gewesen sei. Ganz nach dem pfälzisch/badischen Grundsatz: „Net gscholte, isch gnug globt."

Von 2001 bis 2003, Ralf Wünsch immer an der Seite von Rolf Sorg.

Freilich: Es war schon ein besonderer Moment, als Rolf Sorg am Jahresende 2022 beim Weihnachts-Event im Berliner Estrel-Hotel in einer ruhigen Minute den Arm um seinen Weggefährten legte und ihm Wertschätzung zeigte: „Schön, dass du noch gekommen bist, schön, dass du da bist." Wünsch war durch eine Knie-OP drei Tage vorher in Stade bei Hamburg noch sehr eingeschränkt. Sorg weiter: „Du bist ein wichtiger Bestandteil der PM Familie – wir werden in der Zukunft mal etwas gemeinsam miteinander machen." Eine unerwartete Form der Anerkennung, die er zu diesem Zeitpunkt noch nicht erahnen konnte und die am Ende dieser Biografie zu einem emotionalem Abschluss führen wird.

Eine Anerkennung, nach der Ralf Wünsch lange gelechzt hatte und die ihm in der Jugend verwehrt geblieben war.

Die Anerkennung als Grundlage unseres Selbstwertgefühls. Psychologen sprechen von Respekt und Zuneigung als Lebenselixier. Wem Anerkennung und Respekt entgegengebracht wird, erfährt eine Stärkung des Selbstwertgefühls, mitunter als einen besonderen Glücksmoment, wie bei diesen unverhofften Worten und Gesten von vermutlich dem Menschen bei PM, zu dem Ralf Wünsch geschäftlich aufblickte und von dem er Ähnliches noch nie so erfahren hatte: Rolf Sorg.

Die TIR-Regel

Zurück zu den Anfängen: Zwischen dem 6. November und Weihnachten 2000 gab es noch ein Schlüsselerlebnis: Wünsch durfte bei der monatlichen Business-Akademie Ende November dabei sein. Aber er war nicht nur dabei, sondern mittendrin. „Ich war in meinem ganzen Leben selten so nervös wie damals", sagt Wünsch, denn Rolf Sorg hatte ihm die Rolle des Special-Guest gegeben. Nach drei Wochen ohne sichtbare Leistungen im Unternehmen. Aufgabe: Er sollte seine Geschichte präsentieren.

Der Lernerfolg für Wünsch begann mit seiner Vorstellung. Rolf Sorg, der selbst Moderator war, beherzigte die sogenannte „TIR-Regel": Thema, Interesse, Redner. Ganz nach der Art von Thomas Gottschalk, wenn dieser seine Star-Gäste bei „Wetten, dass?" vorstellte: Warum ist dieses Thema so wichtig? Warum muss uns das alle interessieren? Warum ist dieser Redner der beste, den wir für dieses Thema bekommen konnten?

Das erhöhe sofort die Aufmerksamkeit im Publikum und gebe dem Redner eine große Bedeutung und motiviere diesen gleichzeitig. Wünsch: „Als der mich ankündigte, habe ich nicht gewusst, vom wem er redet."

Sein Selbstvertrauen sei noch arg lädiert gewesen, doch nach dieser Ankündigung habe es für ihn einen Motivationsschub gegeben, den er lange davor nicht mehr verspürt hatte. Als er auf der Bühne stand, habe er seine Stärken ausgespielt und die rund 400 anwesenden PM-Partner in der Stadthalle Frankenthal begeistert. Weil er auch verinnerlicht habe, wie wichtig Empathie bei so einer Rede sei, habe er alles gegeben und am Ende viel Beifall bekommen.

Ralf Wünsch war bei PM angekommen, einem aufstrebenden mittelständischen Unternehmen mit rund 50 Beschäftigten in der Firmenzentrale in Frankenthal. Warum er so schnell aufgestiegen sei?

So ganz klar sei das nie geworden. „Ich kam wohl zum richtigen Zeitpunkt und könnte ein Glücksfall für Rolf Sorg gewesen sein, denn genau so einen wie mich hatte er nicht im Team." Einen, der das schnell umsetzen konnte, was ihm der Visionär vorgab und ihn damit gleichzeitig entlastete. Wobei das mit dem „Glücksfall" von Sorg so deutlich nie gesagt wurde. Aber Wünsch ist sich sicher, dass es so hätte sein können. Ein stabiles Selbstvertrauen war noch nie sein Problem.

Noch heute praktiziert wird sein damaliger Vorschlag, die Weihnachtsfeier der Führungskräfte in Zukunft terminlich und organisatorisch an den Start des Leadership-Wochenendes am Freitag zu legen, um dabei Zeit und Kosten für alle Beteiligten zu sparen.

Über Nacht zum Vertriebsleiter

Nachdem er das Homeparty-Konzept schnell auf den Weg gebracht hatte, ging es an die nächste Aufgabe: Wünsch sollte einen Vertriebschef für Deutschland und Österreich suchen, weil der damalige Stelleninhaber

Alexander Plath ins internationale Geschäft wechselte.

Noch bevor sich Wünsch sortiert hatte und Gespräche führen konnte, gab es kurz vor Weihnachten einen abendlichen Small Talk mit Sorgs Schwiegermutter Carolyn Tarr, die für die Entwicklung des Unternehmens im Jahr 1995 und später im Hintergrund eine wichtige Rolle spielte. Die Frage kam unverblümt: „Ralf, warum machst du nicht selbst den Vertriebsleiter?" Wow. Damit hatte er nicht gerechnet. Er, der als freier Mitarbeiter im Consulting-Status in sechs Monaten das Homeparty-Konzept installieren sollte und anschließend als Teampartner sein PM-Geschäft aufbauen wollte, sollte eine Festanstellung bekommen. Einerseits fühlte er

Weihnachtsfeier 2002, Ralf als PM-Vertriebsleiter mit Vertriebsdirektorin Kosmetik Hedy Köhler (links) und Carolyn Tarr (Mutter von Vicki Sorg).

*Business-Akademie Februar 2001 in der Stadthalle
Frankenthal.*

sich geschmeichelt, überrascht ohnehin, andererseits
wusste er aber, dass ein Vertriebsleiter von Rolf Sorg
Tag und Nacht gefordert wird.

Als Carolyn Tarr am Abend ging, blieb ein nachdenk-
licher Ralf Wünsch zurück. Am nächsten Tag gab es die
wenig überraschende Frage vom grinsenden Firmenchef: „Ich habe gehört, du bist interessiert, Vertriebsleiter zu werden?" Beim Essen in einer noblen Grün-
stadter Weinstube legte der Firmenchef sein Angebot
vor: Vertriebsleiter für Deutschland und Österreich,

145

8.000 D-Mark Fixum, plus einer ganz kleinen Unternehmensbeteiligung auf den steigenden Umsatz, der ab seiner Tätigkeit dazu kommen werde, und einen 3-er BMW als Dienstwagen. Das war nicht nur verlockend, sondern auch nicht ausschlagbar, denn die Schulden im heimatlichen Ahlen und die daraus resultierende Unsicherheit für seine Familie waren immens hoch. Zudem reizte ihn die Aufgabe, einerseits, weil er sie als ungemein spannend empfand, andererseits, weil er wusste, welche Ideen er in das Unternehmen würde einbringen können.

Drei-Jahresverbleib per Handschlag

Ralf Wünsch stellte aber eine Bedingung, die per Handschlag besiegelt wurde: Der Vertrag gilt nur für drei Jahre. Wünsch wollte anschließend Teampartner werden, das war das Ziel. Oder um in der Vision von Rolf Sorg zu sprechen: Wünsch wollte ganz nach oben, Champion's League war sein Ziel.

Mit dem Arbeitsvertrag in der Tasche ging es nach sieben Wochen PM in Frankenthal erstmals wieder nach Hause. Die Freude in der jungen Familie war groß, die finanzielle Basis und das „Überleben" waren vorerst gesichert, die Zukunftsperspektive schien wieder einmal rosig zu sein. Dachte er. Heute sagt er: „Es war gut, dass ich damals nicht gewusst habe, was in den nächsten drei Jahren als Vertriebsleiter auf mich zukommen wird."

Start in einem Aquarium

Es war mal wieder das Einerseits und Andererseits im Leben des Ralf Wünsch, als er zu Beginn des Jahres 2001 gen Frankenthal fuhr. Einerseits hatte er vorerst die Sicherheit einer Festanstellung bei einem renommierten Unternehmen in der Tasche, andererseits aber einen viel zu schnellen Aufstieg bei PM International erfahren. Nach acht Wochen war er Teil der Führungscrew, argwöhnisch beäugt von anderen Führungskräften des PM-Vertriebes, dafür aber gefördert vom Chef Rolf Sorg. Einerseits ein toller Job, andererseits aber eine große Herausforderung für einen, der zwar das Selbstbewusstsein einer Führungskraft hatte, aber im tiefsten Innern auch wusste, wie oft er in seinen Jobs gescheitert war – was nicht immer, aber mitunter auch an ihm gelegen haben könnte. Zumindest mochte er diese Möglichkeit bei der Ursachenforschung nicht ausschließen.

Ein gewisses Maß an Skepsis war durchaus gegeben, zumal Wünsch wusste, dass dies eine einmalige und möglicherweise letzte Chance war, um sein Leben endlich auf eine zukunftsorientierte Basis zu stellen. Er hatte die Basics längst verinnerlicht, viele Erfahrungen gesammelt, auch viele negative, aus denen sich Schlussfolgerungen ziehen ließen, aber er wusste auch, dass er mit seiner Art nicht überall der „Best Boy" war. „Ich habe immer schon polarisiert", gibt Wünsch zu. Jetzt also Vertriebsleiter bei PM International. Die Einarbeitung in seinen neuen Job verlief knapp. Nicht einmal 20 Minuten dauerte die Übergabe von Vorgänger Alexander Plath, der ihm nur kurz seinen Arbeitsplatz im neuen Büro erklärte. Das bedeutete zunächst nur, dass er wusste, wo die Akten mit welchen Inhalten stehen und wie und mit welchen Passwörtern der Computer gestartet wird. Dabei lernte er kurz die Abteilungsleiterinnen der Bestellannahme und des Beraterservices kennen, ansonsten gab es keine weitere Einführung in seinen Aufgabenbereich. Wünsch war Kraft seines Amtes jetzt intern verantwortlich für die Bestellannahme, für den Beraterservice und für die Direct-Sales-Center, letztlich regionale Verkaufs- und Trainingscenter im Vertriebsgebiet, intern „Tankstellen des Vertrauens" tituliert.

Das neue Büro war ein Glaskasten – liebevoll Aquarium genannt – zwischen Bestellannahme und Beraterservice, sodass Wünsch eine gute Übersicht auf alles hatte, aber auch selber ständig unter Beobachtung stand. Die für ihn sehr kurze Einführung entsprach damals der Firmen-Philosophie: Machen, nicht reden.

Weil er vieles nicht wusste, achtete er von Anfang an auf eine gewisse Distanz zu seinen Abteilungsleiterinnen und den anderen Abteilungen. „Mein Nicht-Wissen um diverse Details aufgrund der nicht vorhandenen Einarbeitung konnte ich gut kaschieren." „Am Anfang musste ich deshalb durch meine Position führen, später durch Kompetenz" – ein Satz, der den neuen Job im „Aquarium" gut beschreibt.

Veranstaltungen als Fundament

Machen. Damals wie heute gehören die Veranstaltungen von PM International zu den Fundamenten des Geschäftserfolges. Die monatlichen Business-Akademien, die weltweit einem einheitlichen Standard folgen, sind bis heute eines der wichtigsten Aufbauwerkzeuge für den Vertrieb. Neben der Schulung und Motivation der Teampartner – hier werden Entscheidungen getroffen – ist der Tag der Business-Akademie auch der umsatzstärkste Tag im Monat.

Das Kick-Off Meeting, das grundsätzlich immer am zweiten Januarwochenende in Deutschland stattfindet und an dem sich alle anderen PM Niederlassungen weltweit orientieren, ist der Startschuss für das neue Jahr und gleichzeitig die erste Business-Akademie. Somit ein immens wichtiges Ereignis, dessen Organisation in der Stadthalle von Frankenthal die erste Herausforderung für Wünsch als neuer Vertriebsleiter war. Eine Veranstaltung, von der er nur gehört, die er aber nie selbst erlebt hatte.

Also suchte er Verbündete: Alexander Plath, sein Vorgänger, gab Tipps, in Patrick Bacher fand er einen Mitstreiter, der ihn in seinem weiteren Werdegang bei PM noch entscheidend begleiten sollte, nicht nur weil er ihn nach Ablauf der drei Jahren als Vertriebschef ablösen würde. Bacher war neun Jahre jünger, Betriebsleiter im Unternehmen und bei Veranstaltungen für die Logistik zuständig. Ein Eigengewächs und wie

*Patrick
Bacher.*

Alexander Plath ein PM-Gründungsmitglied. Einer, der sich vom Hilfsarbeiter mit einem unbändigen Ehrgeiz nach oben gearbeitet hatte und wie Wünsch auch einer, der Arbeitszeitregeln für sich als eine unnütze Reglementierung sah und sieht.

Mitte Januar, zwei Wochen nach seinem Start als Vertriebschef, gab Wünsch seine Premiere als Kick-Off-Veranstalter. 600 Teampartner und Führungskräfte versammelten sich in der Stadthalle in Frankenthal, um die Neuheiten im Produkt- und Vertriebsbereich vorgestellt zu bekommen, aber vor allem, um motiviert ins neue Jahr 2001 zu starten. Nach vorherigen Arbeitstagen mit bis zu 16 Stunden sei er nach dem Kick-Off völlig platt gewesen. Aber auch unglaublich motiviert, denn in der Nachbesprechung gab es kaum Kritik von Rolf Sorg – was, wie schon beschrieben, als höchstes Lob im Unternehmen gesehen wurde. „Nett gscholte, isch gnug globt."

Business-Akademie – Basisausbildung und Aufbauwerkzeug

Weil nach dem Spiel – Kick-Off 2001 – immer auch vor dem Spiel ist, stand im Februar schnell wieder die monatliche Business-Akademie oben auf der Agenda. Die erste von Wünsch organisierte und durchgeführte Akademie im Februar 2001 fand mit „nur" 80 Teilnehmern im kleinen Saal des Congress-Forums Frankenthal statt. Angesichts der im Vertrieb aufgekommenen Skepsis bezüglich des schnellen Aufstiegs des neuen Vertriebsleiters, war wenig Bereitschaft bei den TOP-Sprechern vorhanden, als Redner bei einer „Wünsch-Business-Akademie" aufzutreten. Hilfe kam vom Top-Management Mitglied Hans-Peter (Hansi) Aufinger, damals in der Vertriebsposition President's Team (heute Gold President's Team) beschäftigt: ein kompetenter und sympathischer Moderator, und von Alexander Plath, seinem Vorgänger, der inzwischen in den PM-Auslandvertrieb gewechselt war.

Wünsch im Rückblick: „Alex und Hansi gilt bis heute mein Dank für ihre Unterstützung in dieser für mich sehr herausfordernden Zeit – ohne sie hätte ich es sehr schwer gehabt." Die Business-Akademie ist bis heute ein wichtiges Aufbauwerkzeug für den Vertrieb. Beim ersten Besuch eines neuen Teampartners stehen das Kennenlernen, die PM-Philosophie und das Fitline-Konzept im Vordergrund sowie der „Beweis", dass Produkte und Geschäftsidee funktionieren.

Ein wichtiges Element sind die Ehrungen und Auszeichnungen gemäß der erreichten neuen Vertriebsstufe im PM-Verdienstystem (Marketingplan) auf der
„großen" Bühne. Getreu dem Motto: Was der „Kleine
mit der Brille" kann, das kann ich auch. Die Erfahrungsberichte gelten als Praxisanleitungen und Motivation
gleichermaßen.

Der Ratschlag von Ralf Wünsch an alle Fitliner: Jeder
neue Teampartner solle sofort die nächste Business-
Akademie nach seinem Start besuchen. Bewiesen ist,
dass bei diesem Besuch nicht nur das Vertrauen in
das Unternehmen PM und die Fitline-Produkte ge-
festigt werde, vielmehr würden Perspektiven der PM-
Geschäftsidee aufgezeigt, die Entscheidungen und
Ziele nach sich ziehen. Nirgendwo würden so viele
geschäftliche Lebensentscheidungen getroffen wie auf
Veranstaltungen, besonders bei der Business-Akademie. Anschließend gelte es innerhalb von 72 Stunden
ins Handeln, ins Tun zu kommen, so Wünsch.

Die Akademie als Aufbauwerkzeug in der Praxis
zu nutzen heißt, sich die weiteren Business-Akade-
mie-Termine in den Jahresplan einzutragen, mit der
Zielsetzung, bei jeder Business-Akademie möglichst
viele Teampartner aus dem eigenen Team dabei zu
haben. „Wer das verinnerlicht, dessen PM-Geschäft
wird zwangsläufig wachsen", berichtet Wünsch.

Zugriff auf das PM-Verdienstsystem – Der Marketingplan

Für den Geschäftsaufbau ist das Ziel einer Akademie-Veranstaltung klar fixiert: Teampartner, die bis dato „nur" Eigenbedarf hatten und nur aufgrund der Fitline-Resultate ihre Entscheidung trafen, Teampartner zu werden, sollten sich bei der Veranstaltung auch auf die PM Geschäftsidee („Einfach. Erfolgreich.") festlegen. Das bedeutet, sich im PM-Verdienstsystem (Marketingplan) in die erste Schlüsselposition zum Manager zu qualifizieren. Für diese „Manager-Qualifikation" gab es ein Fitline-Produkt-Set-Angebot ausschließlich für die Teilnehmer der Veranstaltung mit 40 Prozent Sofortrabatt, das sogenannte Business-Akademie-Special-Set, bestehend aus 6 x Optimal-Set („Guten Morgen, Gute Nacht"). Somit ist dies die beste Möglichkeit, sich für die Managerposition zu qualifizieren, was einerseits Zugriff auf alle Verdienstmöglichkeiten des PM Marketingplanes beim Teamaufbau und andererseits, durch den „Einkaufsvorteil" von 40 Prozent Sofortrabatt (anstatt 30 Prozent), auch den größeren Gewinn beim Verkauf der Fitline-Produkte bedeutet. Der Besuch der Akademie wird somit belohnt.

Wünsch war nach getaner Büroarbeit am Abend ein beliebter Referent bei vielen Workshops und machte natürlich Werbung für die Business-Akademien – er organisierte sogar Busse nach Frankenthal, sodass die Teilnehmerzahl pro Veranstaltung schnell auf durchschnittlich 250 bis 400 Teilnehmer stieg. Bei der Weihnachts-Akademie im Dezember 2001 wurde erstmals die „Schallmauer" von 1.000 Teilnehmern erreicht.

„Die monatliche Business-Akademie ist für den Geschäftsaufbau die wichtigste Veranstaltung von PM – von der Historie bis heute", bilanziert Ralf Wünsch, der später in seiner eigenen Karriere als Teampartner regelmäßig in Eigenregie bis zu drei Business-Akademien an verschiedenen Standorten pro Monat veranstaltete.

Gleich im ersten Jahr bekam Wünsch die Aufgabe von Rolf Sorg, ein Teampartner-Handbuch zu erstellen. Ein Nachschlagewerk mit allen Informationen, insbesondere für neue Teampartner, rund um das PM-Geschäft. Wünschs Idee, jeweils einen Gutschein für den ersten Akademie-Besuch und für das neue Teampartner-Handbuch als Bestandteil der Erstbestellung des neuen Teampartner zu integrieren, wurde von Rolf Sorg abgesegnet und war ein weiterer Baustein für die Erfolgsgeschichte des Veranstaltungs-Konzeptes. Das TP-Handbuch gibt es aufgrund der Digitalisierung heute nicht mehr, der Gratis- Gutschein für den ersten Akademie-Besuch eines neuen Teampartners ist bis heute Inhalt der Erstbestellung und somit nach wie vor Bestandteil des PM-Vertriebs-Konzeptes.

Dass Rolf Sorg das Gutscheinkonzept bei der Business Akademie selbst präsentierte, verbuchte Ralf Wünsch als Lob, nach dem Motto: „Net gscholte, isch gnug globt."

Lern- und Entwicklungsjahre

Ralf Wünsch ist, wie er ist. Und so war es kein Wunder, dass es sich der neue Vertriebschef in den ersten drei Monaten mit einigen Kollegen intern „versaut" hatte. Einerseits gab es gute Erfolge und die Abteilungen innerhalb der PM profitierten schnell davon, andererseits polarisierte er durch sein Auftreten. Wünsch war und ist in seiner Ansprache immer klar, aber mit dem richtigen Ton zur jeweiligen Zeit hat er seine Probleme. Er glaubt immer schnell zu wissen, wie etwas funktionieren müsse, um Erfolg zu haben. Diesem Streben ordnet er sich gnadenlos unter, was ihm seinen Aufstieg einbrachte. Er erwartet aber auch, dass seine Mitmenschen im gleichen Tempo diesen Weg gehen. Wenn die Erwartungen nicht erfüllt werden, liegt ein Problem auf dem Tisch.

Ein Beispiel: Im März 2001 stand die PM vor einer großen Herausforderung, die fast in einer finanziellen Katastrophe geendet hätte. Aufgrund eines Wettbewerbes aus dem Jahr 2000 waren im Disney Paris anstatt 100 Vier-Bett-Zimmer fälschlicherweise 1.000 Zimmer für ein Wochenende gebucht worden, die Stornierungsfrist war abgelaufen. Alexander Plath, ein Sprachgenie und Diplomat allererster Güte, reiste nach Paris und konnte das Zimmerkontingent auf die tatsächlich benötigten 100 Zimmer reduzieren. Für die damalige Zeit immer noch viel und aufgrund der Anzahl der Gewinner des Wettbewerbes sogar zu viel – es drohte weiterhin ein großer Verlust für die PM.

Eine Regel im Vertrieb ist, die Gewinner müssen das Versprochene erhalten, was jedoch einen Verkauf des Wochenendes an „Nicht Gewinner" nicht ausschloss. Kurzum, Wünsch machte den Vorschlag, das Wochenende mit einem Bus-Transferkonzept aus verschieden Regionen Deutschlands, Österreichs und der Schweiz allen Teampartnern zu ermöglichen – Gewinner natürlich gratis.

Insgesamt waren dann über 400 PM-Partner im Disney Paris und es wurden sogar noch Zimmer dazu gebucht. Ein großer Erfolg, der nicht nur das finanzielle „Desaster" löste und viel Motivation in den PM-Vertrieb brachte – eine für die damaligen Verhältnisse in der kurzen Zeit organisatorische Meisterleistung, die sich Wünsch auf die Fahne schreiben durfte.

Leider fielen im Zuge dieses Kraftaktes einige „Späne" im internen Umgang bei der Organisation; insbesondere Alexander Plath, der mit Wünsch die Organisationsführung begleitete, war ziemlich angesäuert.

So sehr, dass Firmenchef Rolf Sorg mit Wünsch ein ernsthaftes Gespräch führen musste. Mit dem Ergebnis, dass sich Wünsch in der Erinnerung als „lernfähig" bezeichnete, was das Verhältnis zu den Mitstreitern im Unternehmen verbessert habe. Letztendlich sei er am Ende sogar beliebt gewesen – so seine Sicht der Dinge.

Die Organisation des Weltkongresses

Eine weitere Erfahrungen im Bereich Veranstaltungen fehlte noch im ersten Halbjahr 2001: Die Organisation des internationalen PM-Extra-Wochenendes, eine internationale Großveranstaltung, der heutige Weltkongress. Der Start war wieder einmal unglücklich, denn bei der Buchung der Räumlichkeiten für diese Großveranstaltung gab es Fehler, die dazu führten, dass Wünsch sich relativ kurzfristig nach einer Alternative umschauen musste, was angesichts der Dimension und der Kürze der Zeit eine schwierige Aufgabe war.

Schließlich wurden die Räumlichkeiten im fränkischen Neumarkt gebucht, ganz in der Nähe der Firma Nutrichem in Roth, dem Hersteller der PM-Produkte.

Die Besonderheit der Franken war die Qualität ihrer Produkte. Rolf Sorg hatte sich schon früh entschieden, die Fitline-Produkte dem Pharma-Standard (GMP) zu unterwerfen, der wesentlich höhere Anforderungen als der Standard nach dem Lebensmittelrecht stellte. Nutrichem erfüllte den gewünschten Standard schon damals und macht es bis heute. Das Unternehmen aus Roth ist weiterhin einer der Hersteller von Fitline-Produkten auf dem Markt der Hersteller von diätetischen und Nahrungsergänzungsmittelprodukten in Pulverform in Deutschland. Nutrichem war damals für Rolf Sorg aber nicht nur als Hersteller interessant: Das Unternehmen hatte auch einen eigenen Vertrieb, der allerdings nicht die gewünschten Erfolge brachte und für Nutrichem eine Belastung darstellte. Kurzerhand übernahm Sorg diesen Vertrieb und ließ sich dafür im Gegenzug das Alleinvertriebsrecht für Nahrungsoptimierungsprodukte im Network-Marketing zusichern, was für die Absicherung der Patente der Fitline-Produkte letztlich sehr wichtig war.

Wieder einmal ein sehr cleverer und zukunftsorientierter „Schachzug" des Firmengründer Rolf Sorg, der im Führungskräftekreis intern bei PM und extern im PM-Vertrieb begeistert gefeiert wurde.

Der Kongress war kein Hit, jedenfalls nicht in der Wahrnehmung und Einschätzung von Ralf Wünsch, denn das Wochenende war auf drei Veranstaltungsorte in Neumarkt und Roth verteilt. Er als Verantwortlicher war „Ralf Dampf" in allen Gassen. Mit großem Einsatz und einigen Erfahrungen im Veranstaltungs-Management wurde dieses Kongresswochenende mit 800 Teilnehmern Anfang Mai 2001 gemeistert. Dass er danach fix und fertig war und heulend in den Armen von Carolyn Tarr lag, soll eine interne Geschichte bleiben.

Weitere Schlüsselerlebnisse

Wünsch hatte in den vergangenen zehn Jahren vor PM und in den ersten Monaten als Vertriebschef viel Erfahrung in allen Bereichen gesammelt. Er hatte als Vertriebler die Höhen und Tiefen des Geschäfts erlebt, bittere und freudige Erfahrungen gemacht, viel Geld verdient und viel Geld verloren. Der Erfahrungsschatz war sein Grundkapital, er wusste, wie Vertriebler ticken, wie sie angesprochen, motiviert und gelobt werden müssen. Vor allem wusste er auch, wie eine Vertriebsorganisation erfolgreich aufgebaut und geführt werden muss. Dass auch eine strukturierte Arbeitsweise und Organisationstalent zu seinen Stärken gehören, hatte er oft bewiesen. Also glaubte er, nahezu perfekt ausgebildet zu sein, um sich ganz schnell hohe Ziele setzen zu können. Dachte er.

Im Juni 2001 fand im Lindner-Binsfeld-Hotel in Speyer ein Basis-Rhetorik- und Sprechertraining für Führungskräfte statt, das letztmalig von Rolf Sorg als Hauptreferent zusammen mit Alexander Plath veranstaltet wurde. Diese sogenannte Binsfeld-Challenge ist Wünsch als absolutes Highlight in seiner Karriere in Erinnerung. Wegen der Inhalte, aber auch wegen des Rahmenprogramms, das einen Angelwettbewerb beinhaltete, mit anschließendem Räuchern und Verzehren der Fische auf einem Rolf Sorg gehörenden Seegrundstück. „Ein Erlebnis, das nur wenigen im Unternehmen jemals zuteil wurde", sagt Wünsch nicht ohne Stolz.

Er war als Vertriebsleiter sowohl Organisator und Co-Referent als auch selbst Teilnehmer, was er heute als den Abschluss seiner Ausbildung bezeichnet. „Nach diesem Wochenende hat es nochmals richtig ‚Klick' gemacht", so Wünsch, er habe kapiert, wie Seminare erfolgreich zu gestalten seien.

Psychologischer Ablauf von Seminaren

Die Business-Akademien im Jahr 2001 erfreuten sich wachsender Teilnehmerzahlen und das Vertrauen der PM-Partner in die Arbeit des Vertriebsleiter Ralf Wünsch stieg, auch wenn es nach wie vor von einigen Führungskräften „Gegenwind" gab. Nach den Veranstaltungs-Wochenenden gab es am Montag grundsätzlich immer zuerst eine Nachbesprechung mit Rolf Sorg.

Nach seiner ersten eigenverantwortlichen Business-Akademie war Ralf Wünsch begeistert und erleichtert zugleich. Sorg gratulierte Wünsch grinsend und fragte, wie es war. Super, alle waren begeistert und Wünsch erzählte von Stimmung, Referenten, Erfahrungsberichten und rechnete mit Lob seitens des Firmenchefs. Doch dieser stellte zwei für ihn unerwartete Fragen. Wie hoch der Umsatz wäre und wie viele Karten für die Veranstaltung im Folgemonat verkauft worden seien?

Wünsch musste passen, vor lauter Euphorie über seine erste „Großveranstaltung" hatte er die wesentlichen Fakten nicht parat. Als Sorg dann noch die Bilanz mit damals 5.000 Mark minus präsentierte, war Ralf Wünsch um eine weitere Erfahrung reicher. Euphorie ist wunderbar, aber erst dann, wenn auch die Zahlen stimmen. Eine Erkenntnis, die auch in seiner weiteren Karriere als Teampartner wichtig werden sollte.

Übrigens: Auch Rolf Sorg hatte in den Anfangsjahren schmerzlich erfahren müssen, dass ein guter Vertrieb alleine nicht ausreicht, um für ein erfolgreiches

Unternehmen zu sorgen. Selbst 20 Millionen Mark Umsatz reichten damals nicht, um eine positive Bilanz zu schreiben. Sorg war bis dahin Vertriebler, da lag sein Focus und seine Leidenschaft, aber kein Unternehmer im kaufmännischen Sinne, der auch die Zahlen jederzeit im Blick hatte. Umsatz, Liquidität, Rendite. An die Grundregeln des Business wurde Rolf Sorg von seinem Vater Dieter erinnert, einem gerade pensionierten Ingenieur, der selbst sein kleines Unternehmen erfolgreich geführt hatte, das er mangels eines Nachfolgers aber aufgeben musste. Wenn ein Unternehmen keine Gewinne mache, nütze auch der beste Umsatz nichts, ohne Liquidität sei die Pleite vorprogrammiert – des Vaters Rat war ab sofort wesentlicher Bestandteil des Unternehmens, das jetzt von dem Unternehmer – und nicht nur Vertriebler – Rolf Sorg geführt wurde.

Alle Bereiche der PM wurden fortan als Profitcenter geführt. Das bedeutet, jede Abteilung, jede Veranstaltung und jedes Projekt wurden hinsichtlich Kosten und Wirtschaftlichkeit separat bewertet. Damit war schnell zu ergründen, wo die Probleme lagen, wenn das Gesamtergebnis einmal nicht stimmte.

Dieses von Rolf Sorg im Laufe der Firmengeschichte verfeinerte Controlling macht PM bis heute mit einer Eigenkapitalquote von immer über 60 Prozent bezogen auf die Bilanzsumme zu einem wirtschaftlichen „Giganten", der insbesondere im Zuge und im Vorfeld der Pandemie bestens gewappnet war und ist.

Ralf Wünsch kapierte auch das sehr schnell und setzte um, wie ergebnisorientierter Vertrieb mit Zahlen, Daten und Fakten funktioniert, wie Veranstaltungen nicht nur nach Beifall und Gefühl zu bewerten sind – dass auch die Zahlen stimmen müssen, wobei weiterhin die Inhalte für den langfristigen Geschäftserfolg das Fundament waren. Bei der Binsfeld-Challenge hatte Wünsch erfahren, wie der „Psychologische Ablauf von Seminaren/Veranstaltungen" funktionieren muss, auch die TIR Regel war ein Teil dieses Trainings.

Eine zielorientierte Veranstaltung, sei es ein Workshop, Ernährungsvortrag oder eine Business-Akademie, bringe das optimale Ergebnis oftmals nur dann, wenn der Ablauf aus psychologischer Sicht funktioniert habe. Auf die Frage von Rolf Sorg im Juni 2001, welcher Teil einer Veranstaltung am wichtigsten sei, wurde oftmals geantwortet: die Information über das Unternehmen und die Fitline-Produkte. Was grundsätzlich richtig sei, denn insbesondere neue Teampartner kämen zur ersten Business-Akademie, um mehr über Unternehmen und Produkte zu erfahren. Dieses Bedürfnis werde auch grundsätzlich erfüllt. Aber wie? „Der wichtigste Teil einer Veranstaltung ist der Anfang und der Schluss", so eine These von Rolf Sorg aus der Binsfeld-Challenge. Neue Partner/Kunden/Interessenten gingen oftmals mit viel Skepsis in eine Veranstaltung, vor der sie mitunter noch von guten Freunden gewarnt würden. „Pass bitte auf, sonst wirst du über den Tisch gezogen." Somit gelte es, gleich zu Beginn Vertrauen zu schaffen, um der Skepsis der „Neuen" zu begegnen.

Zum Bestandteil des Ausbildungskonzepts von Ralf Wünsch gehört seit 2001 eine Trainer- und Rhetorikbasisausbildung. Alle Elemente der Seminarführung wurden aktiv trainiert. Das Gruppenfoto entstand am PM-Logistikcenter Speyer im Jahr 2017.

Interview:
Fünf Fragen an Ralf Wünsch

„SO FUNKTIONIERT NETWORK-MARKETING

Wie wird eine Veranstaltung erfolgreich? Der Anfang ist entscheidend, aber wie gestalte ich einen erfolgreichen Anfang?

Zunächst sollten wir uns in so eine Situation beamen. Als Veranstalter blicke ich in einen Saal voller erwartungsfreudiger und gleichzeitig auch skeptischer Menschen, die zum ersten Mal mit dabei sind und nicht wissen, was in den nächsten Stunden passieren wird. Viele sitzen mit verschränkten Armen da und signalisieren ihre Unsicherheit. Jeder von uns hat doch den Ratschlag schon mal gehört. ‚Verschränke nicht die Arme, denn durch diese Haltung verschließt du dich vor anderen.' Genauso ist es. Psychologen deuten diese Selbstumarmung auch als einen Ausdruck von Unsicherheit. Also müssen wir als Veranstalter in erster Linie sehen, dass sich diese Unsicherheit im Publikum auflöst und – im besten Falle – in Begeisterung umwandelt. Wenn wir dies erreicht haben, war es eine gute Veranstaltung, wenigstens den Inhalten nach.

Was kann, was muss, was sollte der Eröffnungsredner also tun?

Dem Eröffnungsredner oder auch dem Moderator fällt die wichtige Aufgabe zu, für eine gute Stimmung zu sorgen. Wenn er es schafft, erste Elemente einer Empathie zu kreieren, hat er einen guten Einstieg. Wie schaffe ich das? Indem ich mit viel Lob und Anerkennung die Teilnehmer begrüße, und darauf hinweise, wie ich mich selbst bei meiner ersten Veranstaltung gefühlt habe, bei der ich mit verschränkten Armen aus der fünften Reihe mit Skepsis auf den Redner geblickt habe. Das wirkt. In der fünften Reihe lösen sich die Arme. Danach werden die neuen Teampartner besonders begrüßt und ihnen die Frage gestellt, wer ist aus 50, 100 oder noch mehr Kilometern angereist? Der- oder diejenige mit der weitesten Anreise wird vom Moderator mit einem Artikel aus dem Promotion-Programm beschenkt. Darüberhinaus wird die Neugierde, Aufmerksamkeit und Erwartung geweckt mit dem Hinweis, dass im letzten Teil noch etwas Besonderes passiere: ‚Seid gespannt'. Ein guter Moderator beobachtet, kommuniziert aktiv non-verbal, mittels Blicken und Lächeln, mit dem Publikum und erkennt so, ob sich die Skepsis gelegt hat, ob das Lächeln erwidert wird und die verschränkten Arme sich entspannt haben. Wer das bemerkt, hat einen erfolgreichen Anfang geschafft. Im weiteren Verlauf gilt es, immer wieder über eigene Erfahrungen des Referenten und über Erfahrungen Dritter, wie den Erfolgsberichten aus dem Publikum, zu berichten. Im Vorfeld ist es nötig, Teampartner mit solchen Geschichten zu motivieren, sich bei Nachfrage seitens des Moderators zu melden, um ihre Kenntnisse mit dem Auditorium zu teilen. In der Regel gibt es viele tolle Erfolgsberichte, jedoch trauen sich viele oftmals nicht, diese frei vor allen anderen zu kommunizieren. Deshalb ist es sicherer, dass sich der Moderator eine Auswahl an Erzählungen vor der Veranstaltung organisiert, um darauf zurückgreifen zu können. Der Erfolgsbericht sollte folgende

Fakten beinhalten: Name, Alter, Beruf, Familienstand sollten unbedingt genannt werden. Wir erinnern uns: Was der „Kleine mit der Brille" schafft.... Die Ehrungen und Auszeichnungen auf der großen Bühne liefern dann noch den notwendigen Beweis und die Motivation, dass das PM Geschäft funktioniert. Für jeden.

Wie viel Theorie steckt in diesen Aussagen? Laufen die Veranstaltungen in der Praxis wirklich alle erfolgreich?

Ja, wenn sich der Verantwortliche für den Ablauf der Veranstaltung an diese Regeln hält, was meint, die Redner entsprechend ihrer Fähigkeiten gut einzusetzen. Über die Wichtigkeit der Eröffnung habe ich bereits gesprochen. Auch anwesende Führungskräfte leisten ihren Beitrag in den ersten Reihen. Durch aktives Bestätigen und viel Aufmerksamkeit können sie den Sprecher unterstützen, positiv motivieren. Alle Teilnehmer in den Reihen dahinter orientieren sich automatisch an den Führungskräften in den Reihen vor ihnen. Auch die Pausen haben eine wichtige Funktion und sollten für Fragen und Bestellungen der Gäste/Teampartner genutzt werden. Getrunken wird während der Veranstaltung, gegessen danach.

Nach der letzten Pause kommt der wichtige Abschluss, ein Special-Guest und der Moderator bereiten diesen entsprechend vor – jetzt gilt es zu entscheiden. Fakt und bewiesen ist, wer nicht innerhalb der ersten 24 Stunden hinterher eine Entscheidung trifft und in den ersten 72 Stunden nach der Veranstaltung nicht ins Handeln kommt, bei dem bleibt in der Regel alles so, wie es vorher war. Also, am besten sofort entscheiden und mit dem Sponsor, also demjenigen, der einen für die Geschäftsidee begeistert und zum Teampartner gemacht hat, die nächsten Schritte zu planen.

Was heißt, eine Entscheidung treffen? Wofür muss sich der insbesondere der neue Teampartner entscheiden?

Der erste Schritt für die PM-Geschäftsidee, als bisheriger Produktnutzer, wird oftmals bei einer Business-Veranstaltung getroffen. Mit der Bestellung des Specials und der damit verbunden Qualifikation zum Manager eröffne ich mir alle Verdienstmöglichkeiten des PM Marketingplanes.

Das ist nicht nur eine Entscheidung im Kopf, sie geht auch über die Finanzen. Aus der Entscheidung für das „Special-Angebot", mit einem Sofortrabatt von 40 Prozent, resultiert ein höherer Verdienst beim Verkauf der Produkte.

Sorry, aber das klingt sehr nach Gruppendynamik. Wenn das alle machen, dann mache ich das auch. Und hinterher kommt das böse Erwachen.

Es geht im Leben immer um Entscheidungen: Ja, ich will und werde diese Geschäft betreiben. Der „Kleine mit der Brille" hat es auch geschafft – die Beweise wurden bei der Akademie-Veranstaltung deutlich aufgezeigt. Gruppendynamik, ja natürlich, aber was ist daran schlecht, wenn es die Chance des Lebens bedeuten kann? Ich finde nur heraus, ob es für mich funktioniert, wenn ich eine Entscheidung treffe und die Geschäftsausstattung für die ersten Kunden bestelle, um aktiv zu werden. Das Special-Angebot ist dafür perfekt. Sollte es dennoch nicht klappen – wir reden von rund 400 Euro Investition in eine Selbständigkeit – gibt es ganz sicher kein böses Erwachen mit Folgen. Das Rückgaberecht von 30 Tagen auf verwendete Produkte und von 90 Tagen auf geschlossene Produkteinheiten ist seit Jahren fester Bestandteil der PM-Zufriedenheitsgarantie. Übrigens ein ganz wichtiges Zeichen für die Seriosität eines Familienunternehmens, denn diese Entscheidung hat Rolf Sorg von sich aus getroffen.

IMM Training – Ausbildung
der angehenden Führungskräfte

Eine der letzten und eine der wichtigsten Optimierungen des PM-Ausbildungskonzeptes unter der Wünsch-Regie war Anfang 2002 ein vierteljährlich stattfindendes Training über zweieinhalb Tage für angehende Führungskräfte. Wünsch wusste aus Erfahrung, wie wichtig es ist, ab einer gewissen Vertriebsstufe als Unternehmen einzugreifen, um den Vertrieb beziehungsweise dessen Führungskräfte zu unterstützen und gleichzeitig die Grundlagen eines möglichst einheitlichen Ausbildungskonzeptes hinsichtlich der täglichen Arbeitsmethode und den ersten Führungsaufgaben sicher zu stellen.

Um dabei die Bindung an das Unternehmen PM International neben den vermittelten Inhalten zu fördern und zu festigen, sollte das Training in der Firmenzentrale stattfinden und wurde auf damals 30 Teilnehmer limitiert. Auch die Kosten für zwei Übernachtungen sowie Verpflegung sollte von PM übernommen werden – nur anreisen mussten die Teilnehmer auf eigene Kosten.

Als Wünsch dieses Konzept in einer der wöchentlichen Vertriebsbesprechungen Rolf Sorg Ende 2001 präsentierte, war dieser vom Erfolg sofort überzeugt, auch wenn dadurch eine weitere Kostenstelle entstanden war. Rolf Sorg, der sich mittlerweile zu einem guten

Unternehmer auch in kaufmännischer Sicht entwickelt hatte – neben dem Umsatz stimmte seit dem Jahr 2000 auch das Betriebsergebnis – war und ist im Herzen bis heute Vertriebler (Verkäufer) geblieben. Eine Investition in den Vertrieb, die weiteres Wachstum und Stabilität fördern sollte, fand immer Gehör bei Rolf Sorg. Wünsch: „In solchen Momenten machte die Arbeit viel Spaß, denn Kreativität konnte hier ausgelebt werden."

Wünsch wusste aber mittlerweile auch, dass er anschließend mit Zahlen, Daten und Fakten in der Analyse nachweisen musste, was „unterm Strich" zu bilanzieren war.

Die Vertriebsstufe, in der die Einladung zum Führungsseminar ausgesprochen wurde, ist im Marketingplan der „International Marketing Manager" (IMM). Ein IMM hat rund 20 bis 40 registrierte Teampartner und Kunden in seinem Team, das insgesamt Minimum 10.000 Punkte im Monat erwirtschaftet.

„Der IMM wird durch pure Begeisterung erreicht", so Wünsch, „da waren wir uns alle einig." IMM sei das erste „große" Ziel eines Teampartners, der die Entscheidung für die PM-Geschäftsidee getroffen hat. Neben der zu erwartenden Provision seien die Zusatzleistungen – ein Auto (Leasingkostenzuschuss für ein PM-Auto zu Vorzugskonditionen), eine Reise (gratis-Urlaub auf PM-Kosten in Europa, die sogenannte Europatour immer Anfang September) und ein Rentenzuschuss – maximale Motivation und in dieser Form einzigartig, sagt Wünsch.

Somit war es für die PM-Geschäfts-und Vertriebsleitung folgerichtig, an dieser Stelle der Karriere als
Unternehmen unterstützend einzugreifen. Das IMM-
Training war „geboren" und wurde vom PM-Vertrieb
und dessen Führungskräften natürlich begeistert angenommen. Wünsch und sein Mentor Franz Brandmüller,
der ihn zu PM geholt hatte und sich mit Alexander
Plath das PM Auslandgeschäft teilte, führten zwei Jahre gemeinsam das IMM-Training mit dynamischem
Wachstum bis Ende 2003 erfolgreich durch.

An dieser Stelle erinnert sich Wünsch an ein IMM
Training Mitte 2002: Sein heutiger guter Freund Claude
Simon aus Luxemburg war mit elf Partnern dabei. Er
war Mitte 2001 gestartet und hatte in nur wenigen Monaten Anfang 2002 sensationell die Vertriebsposition
„President's Team" mit über 100.000 Punkten Monatsumsatz erreicht.

Die Motivation und Begeisterung im Luxemburger
Team war am Ende des IMM-Training so überschwäng-
lich, dass aus der Summe aller Zielplanungen für Claude Simon selber die Vertriebsposition Champion's
League (CL) am Ende 2002 resultieren sollte.

Abschluss des Ausbildung – Meisterprüfung

Die bestehenden Veranstaltungen optimieren, neue
Angebote schaffen – nach gut einem Jahr als Vertriebsleiter sah Ralf Wünsch seine Ausbildung als abge-

schlossen an. Jetzt, nach elf hauptberuflichen Jahren im Network-Marketing mit vielen positiven, aber noch mehr schmerzhaften Erfahrungen, hatte Wünsch sich als Vertriebsleiter bei PM etabliert. Er hatte das PM-Ausbildungskonzept mit guten und messbaren Resultaten weiterentwickelt und somit seine eigene Meisterprüfung bestanden.

Freilich: Wünsch wäre nicht Wünsch, wenn er sich dafür nicht mindestens eine Gesamtnote „gut" gegeben hätte. Wobei ihm damals noch nicht bewusst war, dass die tatsächliche Meisterprüfung das Erreichen der Champion's League im Jahr 2010 werden sollte.

Zunächst folgten mit Sitz in Frankenthal zwei weitere erfolgreiche Jahre als Vertriebsleiter Deutschland und auch Österreich. Mit der damaligen Niederlassungsleiterin Österreichs, Martina Heinzel, arbeitete Wünsch von Anfang an gut zusammen, sodass alle Neuheiten schnell auch erfolgreich in Österreich umgesetzt wurden. Bei den Business-Akademien in Österreich, damals in Salzburg, war Wünsch regelmäßig dabei.

Der Status Ende 2003: Drei Business-Akademien im Monat, zwei in Deutschland, neben der Akademie im Raum Frankenthal kam eine weitere Veranstaltung in Hannover dazu sowie eine in Österreich. Die Organisation des Weltkongresses im späten Frühjahr und des nationalen Kongresses Deutschland und Österreich im Herbst, das Leadership Meeting (damals noch eines Anfang August und eines, bis heute, Anfang Dezember) waren auch in seiner Verantwortung. Dazu kam das

Tagesgeschäft, denn unter seiner Verantwortung stand die Bestellannahme, der Beraterservice und die Direct Sales Center in Deutschland, in denen er innerhalb der Woche ab 19.00 Uhr regelmäßige Workshops veranstaltete. Wünsch: „Das mag jetzt übertrieben klingen, aber 80-100 Arbeitsstunden pro Woche waren keine Seltenheit. Die Wochenende waren sowieso an 36 Wochen im Jahr ausgebucht."

Ein Assistent oder eine Assistentin, geschweige denn ein Event-Manager, waren nicht im Stellenplan von Rolf Sorg vorgesehen. Sorg war der Meinung, wenn Wünsch eine Assistentin benötige, solle er sich zeitweise mit Personal aus dem Kreis des Beraterservices bedienen.

Wünschs Lobeshymne an sein Personal

Letztlich für Ralf Wünsch kein Problem, er lernte sich immer besser zu organisieren und schwört noch heute auf sein damaliges Team.

So klingt seine Lobeshymne: „Meine Abteilungsleiterinnen, insbesondere Susi Bendusch, die mich bei den Akademien und an den Leadership-Wochenenden lange unterstützte und heute noch die Bestellannahme in Speyer führt sowie Marion Rock, damals verantwortlich für die Direct-Sale-Center, waren große Stützen. Auch für Alexandra Kräussle aus dem Beraterservice, die eines Tages meine von Rolf Sorg genehmigte „Teilzeitassistentin" war (und heute noch als Assistentin von Vertriebsvorstand Patrick Bacher tätig ist), habe ich nur Lob im Gedächtnis. Insgesamt arbeiteten alle Abteilungen mit hohem Einsatz motiviert gut zusammen und gingen oftmals über ihre Grenzen, was mich selber motivierte, weil ich es in der Form noch nie so erlebt hatte."

In dieser Zeit entwickelte sich der PM-Umsatz erstmals in Richtung der 100-Millionen Euro. Die logische Folge: Mitte 2002 erreichte das Gründungsmitglied und die damalige Nr.1, Carsten Ledulé, als Erster die höchste Vertriebsstufe im PM Marketingplan, die Champion's League". Es folgte ihm in die Champion's League nur ein Jahr später die heutige Nummer eins, Joachim Heberlein. Welche Auswirkungen für Wünsch gerade das Erreichen der Champion's League von Joachim Heberlein haben sollte und dass er in Folge als dritter Teampartner der PM in die noble Runde der Champion's League aufsteigen sollte, konnte damals noch niemand ahnen. Allenfalls Ralf Wünsch.

Der Break: Oktober 2003

PM feierte das zehnjährige Jubiläum, verbunden mit dem Umzug von der alten Nähmaschinenfabrik in Frankenthal ins Logistik Center Europa nach Speyer. Ein Neubau, mit insgesamt 14.000 Quadratmetern Grundfläche, ausgelegt für das zu erwartende Wachstum: wieder sehr visionär vom Gründer und Vorstand

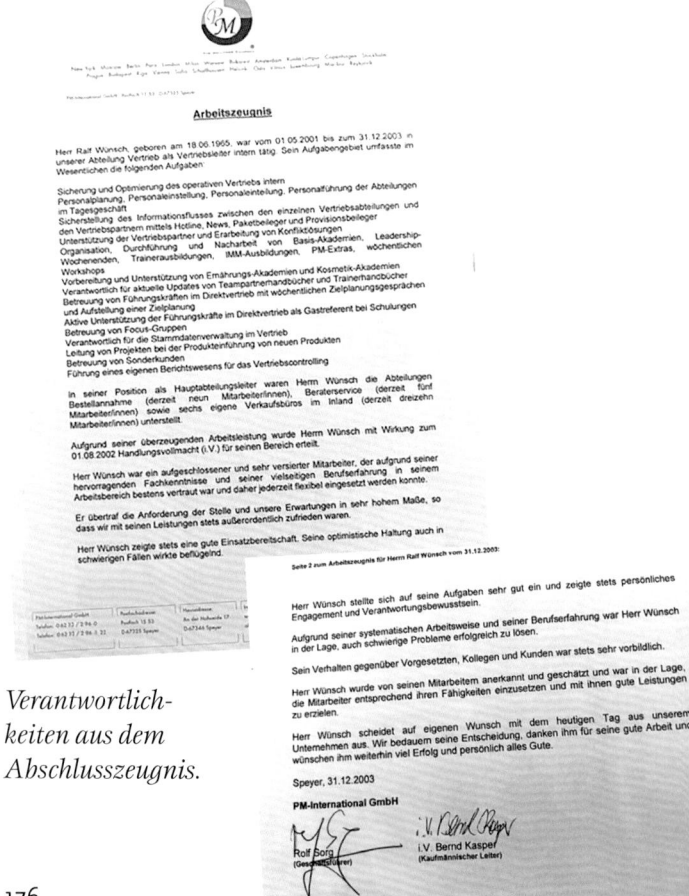

Verantwortlich-
keiten aus dem
Abschlusszeugnis.

Rolf Sorg, vorausgeplant in Speyer Nord mit einem im ersten Schritt neuen Verwaltungsgebäude und einer ersten Lagerhalle.

Ein großer Meilenstein für das Unternehmen, das mittlerweile die 100 Millionen-Umsatzgrenze überschritten hatte. Ralf Wünsch will seinen Anteil nicht bilanziert wissen. Darüber denke er nicht nach. Verbrieft ist aber seine Bilanz bei der Weiterentwicklung des PM-Ausbildungskonzeptes und der entsprechenden Veranstaltungen in den „nur" drei Jahren seiner Tätigkeit als Vertriebsleiter „intern", so seine offizielle Bezeichnung, über die er damals und auch heute ein wenig schmunzeln muss.

Fünf Monate saß Ralf Wünsch noch in seinem neuen Büro in Speyer. Im Juni 2003 gab es dann ein letztes und entscheidendes Schlüsselerlebnis für seinen Abschied als Vertriebsleiter Ende 2003 und dem Start als Teampartner ab dem 1. Januar 2004 bei einem IMM-Training, das diesmal parallel zur Business-Akademie in St. Leon Rot veranstaltet wurde.

Mittlerweile hatte er etwas „Routine" und ein sehr gutes Team aus internen Mitarbeitern seiner Abteilungen, Sprechern der Business-Akademien und Co-Trainern beim IMM-Training zusammengestellt. Dies ermöglichte Wünsch den „Spagat", an diesem langen, aber sehr effektiven Wochenende zwischen der Akademie-Veranstaltung im Hauptsaal und dem parallel stattfindenden IMM-Training im Seminarraum daneben hin und her zu pendeln. Konzeptionell waren die Veranstaltungen so geplant, dass die Teilnehmer des IMM-Trainings bei den Ehrungen auch Teilnehmer der BA waren. Anschließend ging es mit der letzten Übung des Tages beim IMM-Training weiter: Erstellung einer Zielcollage.

Collage als Selbsterkenntnis

Diese Übung wurde von einem seiner Co-Trainer geleitet. Warum auch immer, Ralf Wünsch fand sich mitten im Seminarraum wieder und machte mit: Jeder Teilnehmer sollte seine eigenen Ziele mit einer Collage aus „alten" Zeitschriften mit Schere und Kleber auf ein DIN-A3-Blatt kleben. Ohne großartig zu überlegen, bastelte Wünsch die Collage mit diesen Bildern: Einfamilienhaus, Cartier-Uhr, Mercedes SL, einem weißen Strand mit Jogger, der frei und unbeschwert in die Ferne läuft, und einem Klippenspringer aus Acapulco in Mexico.

Als Ralf Wünsch am Abend im Hotelzimmer die Collage betrachtete, stellte er sich die für ihn entscheidende Frage: Was mache ich hier überhaupt? Er, der jeden Monat Schecks in fünf- bis sechsstelliger Höhe unterschrieb und mit netten Sprüchen garnierte, er, der Teampartner für Führungskräfte ausbildete – für andere Führungskräfte – er, der als Vertriebschef zwar ein gutes Gehalt bekam, aber niemals frei war wie der Läufer am Strand. Was mache ich hier überhaupt?

Eine Frage, die wenn sie so gestellt wird, schon unterbewusst die Antwort beinhaltet.

Am folgenden Montag hatte Wünsch seinen Routine-Termin bei Rolf Sorg, mit dem er drei Jahre zuvor ohnehin die Vertragslaufzeit erst einmal auf drei Jahre fixiert hatte. Mit offenem Ende zwar, aber auch so, dass beide Herren mit offenem Visier darüber reden konnten. Wünschs Anliegen war klar: Ende als Vertriebschef und Neuanfang als Teampartner. Rolf Sorg willigte ein.

Der Ausstieg mit Nachfolger Patrick Bacher

Wünschs Ausstieg war gleichzeitig der Start für Patrick Bacher als sein Nachfolger. „Ein Glücksfall für die PM und Rolf Sorg", sagt Ralf Wünsch über diese Berufung heute. Bacher gehörte zum Gründungsteam des Unternehmens und erlebte alle Höhen und Tiefen vor allem am Standort Frankenthal. In einem nicht wirklich schönen Gebäude, mit nicht schönem Parkplatz und in einer nicht schönen Gegend. Bacher in der Erinnerung: „Eigentlich war da nichts schön." Umso beachtlicher sei es gewesen, dass in so einer Umgebung der junge Firmenchef Rolf Sorg seine Vision von der Marktführerschaft im Direktvertrieb und Internationalisierung des Unternehmens entworfen habe. Bacher bei der Feier zum 25. Firmenjubiläum im Jahre 2018: „Da jemandem von einer Weltvision zu erzählen, war schon mutig." Bacher ist seit der Übernahme des Jobs von Ralf Wünsch im Jahr 2004 Vertriebsleiter und seit vielen Jahren in diversen Vorständen der PM International. Bacher sei „der wichtigste Mann" im Unternehmen, „immer loyal, mit vielseitiger Kompetenz auch in kaufmännischen und logistischen Bereichen." Wie Sorg ein Fels in der Brandung, immer bodenständig und mit einer inneren Gelassenheit gesegnet, die für diesen Job die Grundvoraussetzung sei. „Patrick lieben sie alle, er ist Everybody's Darling im Unternehmen", sagt Wünsch über seinen Nachfolger.

Ralf Wünschs letzte Veranstaltung und Verabschiedung war in einer traumhaften Berglandschaft im Salzburgerland Altmark/Zauchensee beim Leadership mit über 100 Führungskräften Anfang Dezember 2003.

Mit dieser Location und der damit verbunden Organisation setzte er zum Abschluss seiner Verantwortlichkeit nochmals ein Zeichen. Zauchensee, ein kleines Bergdorf im Salzburgerland auf 1.400 Metern Höhe, eingebettet in ein traumhaftes Skigebiet und heutiger Weltcuport, war bis Dezember 2008 die Location des Leadership-Wochenendes. Führungskräfte, die in den Jahren 2003 bis 2008 mit dabei waren, schwärmen noch heute davon.

Warme Worte von Rolf Sorg

Am Sonntagvormittag, zum Ende des Leadership-Wochenendes, wurde Wünsch von Rolf Sorg in seiner Abschlussrede verabschiedet.

„Die Worte von Rolf und die Verabschiedung insgesamt sind mir immer noch in guter Erinnerung", so Wünsch.

Weil ihn Rolf Sorg erstmals vor der gesamten Mannschaft gelobt und dabei Tränen in den Augen hatte. Die minutenlange „Standing Ovation" der Führungskräfte und auch internen Mitarbeiter wertete Ralf Wünsch als gute Note im Zeugnis. Beseelt und von den Emotionen übermannt, kam am Ende seiner Dankesworte wie gewohnt die Zielsetzung, so hatte er es gelernt und gelehrt – dass er hierbei die Zielsetzung Champion's League bis 2007 ankündigte, war ein typischer Wünsch. Der Satz hat ihn selber erschreckt, als er gesagt war. Er hatte sich wieder einmal mächtig unter Druck gesetzt – ab jetzt war er mehr denn je unter Beobachtung. Rolf Sorgs Tränen waren in diesem Moment getrocknet und sein zufriedenes Lächeln hat Wünsch ebenfalls noch in guter Erinnerung.

Wieder einmal fuhr Ralf Wünsch kurz vor Weihnachten gen Heimat. Befreit von dem Druck der Verantwortung als Vertriebsleiter. Nach dem Spiel ist vor dem Spiel. Nie habe es in den vergangenen drei Jahren eine Phase der Erholung gegeben. „Ich habe mich von einer Veranstaltung erholt, da stand die nächste schon vor der Tür." Hoch motiviert mit einem Blick auf einen Neuanfang, jetzt endlich als PM-Teampartner, ist ihm die Fahrt gen Westen noch heute in blendender Erinnerung: Er hat von Anfang bis Ende gesungen.

Interview:
Fünf Fragen an…
…Alexander Plath
(Gründungsmitglied PM International)

„ER IST DURCHSETZUNGS- STARK BIS ZUR STURHEIT

Herr Plath, im November 2000 kam Ralf Wünsch zu PM nach Frankenthal, vermutlich hatten Sie ihn schon in Ibiza kennengelernt. Was trauten Sie damals dem erfahrenen, aber letztlich nicht erfolgreichen Networker zu?
Nein, ich kannte Herrn Wünsch zu diesem Zeitpunkt noch nicht. Und wusste somit auch nicht, ob er erfolgreich war oder nicht. Deshalb habe ich es ganz neutral gesehen.

In der Ralf Wünsch-Biografie überschreibe ich das Kapital über seinen Neuanfang mit: „Vom Voll-Katastrophen-Networker zum Vertriebsleiter". Hatten Sie damals die Entscheidung von Rolf Sorg nachvollziehen können, dass der Neuling Sie nach nur drei Monaten als Vertriebschef beerben wird?
Da die Übernahme der Position des Vertriebsleiters Deutschland Voraussetzung war, damit ich wieder ins internationale Geschäft wechseln konnte, stand ich dem Start von Ralf Wünsch durchaus positiv gegenüber.

Wünsch nennt Alexander Plath neben seinem Sponsor Franz Brandmüller als einen Förderer, neben Rolf Sorg. Wenn, warum trauten Sie ihm das Potential für eine große PM-Karriere zu?
Ich freue mich, dass Ralf Wünsch mich so wahrnimmt. Ich versuche generell viel Potenzial in den Menschen zu sehen, solange sie mir nicht das Gegenteil beweisen.

Wie beschreiben Sie seine Stärken und Schwächen von damals?

Ich sehe seine Stärken und Schwächen von damals so wie seine Stärken und Schwächen von heute: Er ist durchsetzungsstark bis hin zur Sturheit und ein proaktiver Problemlöser mit großem Arbeitswillen.

Ralf Wünsch hat dann als Teampartner tatsächlich einen rasanten Aufstieg hingelegt, auch mit Ihrer Hilfe. Sie waren Speaker in seinen Akademien. War er tatsächlich so besessen, wie das für die Leser dieser Biografie erscheinen muss?

Ich habe Ralf Wünsch niemals als besessen empfunden. Er hatte ein klares Ziel vor Augen und war bereit zu tun, was getan werden musste.

„Proaktiver Problemlöser..."

„DIE WARTEZEIT FÜR DEN PERFEKTEN MOMENT DAUERT EINE EWIGKEIT

Das Interview...
...mit Ralf Wünsch

„WENN DER PLAN GRÖSSER IST ALS DAS ZIEL, DANN FOLGT DER MUT, ES ZU TUN

Ralf, was war damals, was sind heute die Mechanismen für den Erfolg im Network-Marketing?

Grundsätzlich hat sich an der Ausgangslage nichts geändert, die Grundlagen des Network-Marketing funktionieren auch heute noch nach den gleichen Grundmustern. Um ein erfolgreiches Network-Marketing zu betreiben, muss jeder erst einmal die Chance für sich selbst erkennen. Er oder sie muss begreifen, was dieses Geschäftsmodell bedeuten kann, er oder sie muss erkennen, dass dies das beste Geschäftsmodell der Welt ist, eine wunderbare Arbeit, die von jedem Ort der Welt zu erledigen ist, eine einmalige Chance, sich ohne große Investitionen ein eigenes Unternehmen aufzubauen mit dem Ziel, nach nur wenigen Jahren ein passives Einkommen mit den Provisionen zu generieren.

Warum ist PM International so erfolgreich?

Weil wir mit den einzigartigen, patentierten Fitline Konzepten Menschen Gutes tun und gleichzeitig Geld verdienen – eine fantastische Kombination. Für den erfolgreichen Aufbau eines Network-Marketing Geschäftes ist das Partnerunternehmen – neben dem eigenen Können und dem brennenden Verlangen nach Erfolg – natürlich der wichtigste Faktor. PM bietet einzigartige, nicht vergleichbare Produkte, einen wachsenden, expandierenden Markt und eine einfache und duplizierbare Arbeitsweise. Das ist der Schlüssel zum Erfolg. Natürlich basierend auf einem fairen, leistungsbezogenen und rechtlich einwandfreien Verdienstsystem. All diese Erfolgsparameter sind Teil der Vision von Rolf Sorg, dem Gründer und Vorstand der PM International, der seine Vision im Laufe der Jahre mit der PM International umgesetzt hat und jeden Tag mit einem wachsenden Team von Spezialisten fokussiert daran arbeitet, immer besser zu werden.

Du kommst ins Schwärmen?

Ja, natürlich, denn PM ist die beste Chance für „Neulinge", erfolgreich zu werden, und für Vollblut-Networker, die bereits in anderen Unternehmungen Erfahrungen gesammelt haben, ein Paradies, das sie nur noch betreten müssen.

Was muss jemand machen, wenn er das begriffen und verinnerlicht hat?

Der Erstkontakt erfolgt meistens über positive Produktresultate, die einem ein Freund oder ein Bekannter empfohlen hat. Eigene Resultate führen dann dazu, dass das persönliche Umfeld bewusst oder unbewusst mit informiert wird, beispielsweise innerhalb der Familie. Das ist schon der erste Schritt. Bereits an dieser Stelle „arbeitet" Network-Marketing – Empfehlungen aus eigenen positiven Resultaten führen zu den ersten „Verkaufserfolgen", parallel dazu wird das erste Meeting besucht, auf denen Teampartner über ihre Erfahrungen mit den Produkten und dem Geschäft erzählen. Das sind in der Regel Menschen, mit denen sich ein Neuling identifizieren kann. Menschen, wie du und ich. Daraus folgt meist die Erkenntnis, mehr erfahren zu wollen: was steckt genau hinter der Geschäftsidee und wie könnte es für mich funktionieren.

Kann jeder an so einer Business-Akademie teilnehmen?

Die Business-Akademie ist grundsätzlich keine Veranstaltung für Interessenten, dafür gibt es Teams mit eigenen Geschäftspräsentationen.

Die Business-Akademien sind für Menschen, die eine Entscheidung nicht nur für die Fitline-Produkte getroffen haben, sondern auch für das Geschäft, das dahinter steckt. Für die neu registrierten Teampartner sind die Business-Akademien der erste Kontakt mit PM International direkt. Diese Schulung wird von der Vertriebsleitung durchgeführt, die einerseits Sprecher aus dem aktiven Vertrieb der erfolgreichen PM-Führungskräfte einlädt und als Höhepunkt einen sogenannten Special-Guest aus der höchsten Vertriebsposition, die wir Champion's League nennen. Das ist eine Basisausbildung von Teampartnern für Teampartner. Dieses Erfolgskonzept wird weltweit nach einem einheitlichen Ablauf monatlich durchgeführt. Es wird die PM Vision, unser Fitline-Konzept, der Vertriebsweg und die Arbeitsweise gemäß unserer Philosophie gelehrt. „Einfach. Erfolgreich". Das Wichtigste bei aller Professionalität sind dabei die Menschen, die von ihren Erfolgen berichten und damit die „neuen" Teampartner inspirieren – wenn der „Schlosser" und die Hausfrau mit drei Kindern es geschafft haben, dann kann ich es auch schaffen. Es geht also um das Erkennen, dass die Geschäftsidee Network-Marketing auch was für mich ist oder sein kann. Meist folgt der Teilnahme an einer Business-Akademie der erste Schritt ins Geschäft zum Manager, der ersten Schlüsselposition im Marketingplan. Das Ziel ist klar definiert: Sich ein eigenes Unternehmen aufzubauen – alles ohne eigene Investitionen, bei freier Zeiteinteilung mit einem großartigen Unternehmen als Partner und einzigartigen Produkten.

Bleiben wir noch einmal bei den Basics: Was ist die wichtigste Voraussetzung, um in diesem Geschäft erfolgreich zu sein?

Network-Marketing ist ein Geschäft, bei dem der Mensch im Mittelpunkt steht. Vertrauen aufbauen durch Empathie. Das heißt, sich in den anderen hineinzuversetzen, um das Motiv zu eruieren. Im persönlichen Gespräch bei der Geschäftspräsentation ergibt sich das Motiv des Interessenten im Vorgespräch, nennen wir es einfach Smalltalk. Niemand fängt ein Gespräch an, um direkt zum Punkt zu kommen. Das gilt für die Politik, für die Wirtschaft, letztlich für das ganze Leben. Erstmal Smalltalk in der Aufwärmphase. Auto, Wetter, Fernsehen, Fußball. Wichtig: Die Hauptperson ist der Interessent mit einem Redeanteil im Smalltalk von 80 Prozent, zwanzig Prozent bleiben für gezielte Fragen, um sein Motiv „herauszukitzeln", beziehungsweise es zu erkennen. Wer das Motiv kennt, weiß auch, an welchem Punkt das Geschäft für seinen Interessenten attraktiv wird.

Gehst du davon aus, dass jeder Gesprächspartner ein Motiv hat?

Klar, ansonsten wäre er auch nicht zu dem Gespräch bereit. Jeder hat ein Motiv und das muss ich erfahren. Das höre ich beim Smalltalk heraus, wenn ich weiß, dass ich es hören will.

Dann bitte das Beispiel: Wir haben uns gestern Abend im Hotel kennengelernt, du hast mich durch die Beschreibung deines Jobs ohne Details neugierig gemacht. Zum Frühstück haben wir uns verabredet. Jetzt bist du an der Reihe, auf der Suche nach einem Motiv.

Der Einstieg ist doch völlig normal, ich frage nach der Familie, was machst du beruflich, arbeitet deine Frau auch? Urlaub? Ah, der erste Urlaub nach fünf Jahren. Bumms, da haben wir es schon. „Ich würde ja gerne öfter in Urlaub fahren, aber das können wir uns nicht leisten." Schon hast du ein Motiv.

Sorry, aber das ist mir eine Spur zu einfach. Geldsorgen haben viele.

Ja, und Familie auch. Ich beschreibe das mal mit einem Bild. Es gibt dieses Haus mit den zwei Armen. In der linken Hand ein Tennisschläger, in der anderen Hand ein Hammer. Vor dem Haus steht die Familie und ein

Auto. Das sind Anker, worum sich so ein Gespräch dreht. Was macht die Familie, was macht die Arbeit, wie seid ihr durch die Corona-Krise gekommen? Homeoffice? Wieso hat dich das gelangweilt? Bumms, schon wieder ein Motiv.

Übrigens, Auto ist auch immer ein Thema. Ja, der neue BMW würde mich schon reizen, aber die Familie hat andere Prioritäten. Bumms, wieder ein Motiv.

Damit sind wir beim Geschäft, du erklärst, wie dein Gesprächspartner nebenberuflich erfolgreich sein kann?

Das wäre fatal. Worum geht es im Geschäft? Es geht immer um Vertrauen. Ohne Vertrauen macht niemand einen Abschluss. Deswegen müssen Gemeinsamkeiten hergestellt werden. Menschen, die sich gleich sind, das heißt gleiche Interessen, haben Vertrauen und mögen sich in der Regel. Fußball-Fans mögen Fußball-Fans, Autonarren mögen Autonarren, Familienmenschen mögen Familienmenschen.

Also geschickt die Neugierde wecken?

Gemeinsamkeiten im Vorgespräch zu erkennen und sich darüber auszutauschen, schafft Vertrauen und Sympathie, die Basis für alles Weitere. Jetzt kann ich einhaken und komme somit zum Geschäft. Jetzt erzähle ich kurz meine Erfolgs-Geschichte: Ich war vor ein paar Monaten oder Jahren in einer ähnlichen Situation und dann habe ich durch einen Freund das

PM-Geschäft kennengelernt. Obwohl ich am Anfang skeptisch war, habe ich meinem Freund vertraut und heute habe ich beispielsweise mehr Zeit für die Familie, wir fahren zweimal im Jahr in den Urlaub, haben uns dieses Eigenheim ermöglicht und dass Schönste ist, dass wir selbstständig und unabhängig unsere Zukunft planen können. Mit diesem Erfolgsbericht, der auf die Motive meines Interessenten zielt, soviel hatte ich im Vorgespräch ja von ihm erfahren, habe ich dann meist seine volle Aufmerksamkeit. Ich komme dann zu den ersten „Fakten", wer ist PM und was macht Fitline einzigartig. Dabei lasse ich immer meine persönlichen Erfahrungen und Erfolgsberichte einfließen. Deswegen ist es so wichtig, von den Produkten überzeugt zu sein.

Gibt es eine einfache Erklärung für Fitline in dieser Phase?

Natürlich. „Guten Morgen – Gute Nacht", ganz einfach. Powercocktail am Morgen, Restorate am Abend. Die Einzigartigkeit des Fitline-Konzeptes beruht auf einem Weltpatent, dem Nährstofftransportkonzept NTC. Das bedeutet: Wir bringen die Nährstoffe an den Ort ihrer Wirkung, dort wo sie gebraucht werden, auf die Zellebene, und das so schnell wie möglich. Nachweislich fünf bis zehnmal schneller als alle vergleichbaren Produkte. Dieses patentierte Herstellungsverfahren ist weltweit einzigartig und macht somit auch PM International einzigartig. Deshalb der Fitline-Slogan: „Resultate. Erleben". Ich würde an dieser Stelle beim

Gespräch eine Kostprobe mit Fitline Activize Oxyplus zum Probieren anbieten.

Warum ausgerechnet dieses Produkt?

Activize ist unser Energieprodukt und innerhalb von wenigen Minuten spürbar – der Beweis des Nährstofftransportkonzepts NTC. Denk bitte daran: Erleben ist immer besser als erzählen. Parallel dazu träufle ich einen Tropfen Fitline Omega 3 in ein Wasserglas und eine handelsübliche Omega 3 Kapsel aufgeschnitten in ein weiteres Glas Wasser. Der Inhalt der Kapsel Omega-Öl schwimmt auf der Oberfläche des Wasserglases, das Fitline Omega 3 hat sich dagegen mit dem Wasser verbunden. Ein einfaches „Experiment" mit dem Beweis, wie Fitline funktioniert. In der Zwischenzeit spürt mein Interessent die Wirkung durch ein leichtes Kribbeln in den Ohren. Der Beweis für das Nährstofftransportkonzept. Wenn ich dann eine leichte Überzeugung bei meinem Gegenüber spüre, kann ich über den Vertriebsweg informieren. Frage also: Wo würdest du solche Produkte kaufen? Meist kommt die Antwort: Im Fachhandel natürlich.

Geht es dann schon um Geld?

Ja, über den Vertriebsweg komme ich zu unserem Verdienstsystem und den Marketingplan. Den Vertriebsweg zeichne ich auf Papier anschaulich auf. Traditioneller Vertrieb wie im Einzelhandel und im Vergleich dazu unser Vertriebsweg mit Network-Marketing. Diese einfache und logische Darstellung zeigt auf, dass die Gelder aus dem traditionellen Vertrieb, die für Marketing und Werbung benötigt werden, in den Vertrieb von PM fließen, als vielschichtige Provisionen sowie Auto, Urlaub, Altersversorgung – also Motivation pur.

Zwischenfrage – wer Fitline nicht nimmt, kann auch nicht erfolgreich sein?

Natürlich nicht, wie soll ich für ein Produkt brennen, von dem ich nicht begeistert bin? Das funktioniert nicht. Wenn dir von deinem Gesprächspartner klar gesagt wird, dass er selber die Fitline-Produkte nicht braucht, weil er völlig fit ist, und sie somit selbst nicht nehmen wird, dann verabschiede dich stilvoll. Das Produkt ist das Herz des Geschäftes, ohne Herz kein Leben, kein Geschäft.

Irgendwann wird es dann konkret – wie direkt wirst du und wie ist der Abschluss?

Eines vorweg, wer unseren Marketingplan auf den ersten Blick sieht, das bezieht sich grundsätzlich auf alle Verdienstsystem in der Branche, wird diesen nicht verstehen, vielmehr vom Anblick erschlagen. Dem beuge ich vor und nehme somit die Angst, diesen jetzt auch noch erklärt zu bekommen. Das Gespräch sollte grundsätzlich bis dahin nicht zu lang gewesen sein, allenfalls 30 Minuten, und wie gesagt auch einfache Beispiele und Fakten beinhalten. Also zeige ich diesen Marketingplan nur kurz, erwähne, dass ich am

Anfang auch erschlagen war. Mein Freund, der mich in das Geschäft gebracht hat, hat mir gesagt, dass es nur zwei Aufgaben gibt, um das Optimum aus diesem Plan zu erwirtschaften: Erstens, Produkte nutzen, über Resultate sprechen, Kunden und Geschäftspartner gewinnen. Die zweite Aufgabe ist dann der Schlüssel für den erfolgreichen Geschäftsaufbau:

Kannst du Dir vorstellen, dass du mit meiner Hilfe aus all deinen Kontakten mittelfristig, etwa in den nächsten drei Jahren, fünf Schlüsselpersonen findest, die wie du und ich mehr in ihrem Leben erreichen möchten, die brennen und mit uns finanziell frei werden möchten – Antwort ja. Dann herzlichen Glückwunsch und willkommen im Team.

Warum ausgerechnet die Zahl fünf?

Weil du dich mit deinem eigenen Optimal-Set „Guten Morgen-Gute Nacht" und den fünf Optimal-Sets deiner persönlich vermittelten Kunden/Geschäftspartner in die erste Schlüsselposition Manager qualifizierst. Die Vertriebsposition Manager ist gleichbedeutend mit der Eintrittskarte für den PM-Marketingplan und damit dem Zugriff auf alle weiteren Verdienstmöglichkeiten. Außerdem können dich fünf Schlüsselpersonen, die wie du das PM Geschäft duplizieren, in die höchste Vertriebsposition des PM-Marketingplanes führen – alles mit der Hilfe und Unterstützung deines Sponsors, so nennen wir die Person, die dich begleitet und vermutlich auch für das Geschäft geworben hat.

Das leuchtet ein. Manager klingt gut, wird aber vermutlich noch keinen Verdienst bedeuten, um sich Träume zu erfüllen, oder?

Träume erfüllen sich als Manager noch nicht, jedoch ist es die 1. Geschäftsentscheidung, die sehr wichtig ist, denn die nächste Entscheidung folgt mit dem Ziel, die Position International Marketing Manager, die wir IMM nennen, zu erreichen. Ein IMM hat zwölf bis 15 Manager, einige Teampartner und Kunden, das bedeutet in der Regel einen kumulierten Umsatz von 10.000 Euro im Team. Daraus resultieren bereits 1.000 Euro im Monat sowie der Anspruch auf ein Auto, Urlaubs-Europatour und der Start in das PM-Rentenprogramm. IMM ist das erste Ziel eines Teampartners, da dieses Ziel schnell sichtbar und vorstellbar ist. Als IMM werde ich darüber hinaus zu einem zweieinhalbtägigen Seminar auf Kosten des Unternehmens eingeladen, welches mich dann in höhere Vertriebspositionen führen kann, beziehungsweise mir wird gezeigt, wie ich meine Partner, meine Schlüsselpersonen, in die zweite Schlüsselposition IMM führe. Das bedeutet, ich führe drei, besser fünf Partner, in die Position IMM ein und erreiche somit selber die dritte Schlüsselposition im Marketingplan: President's-Team. Wer da ist, kann sich bereits einige Träume erfüllen, keine Frage.

Wie hoch ist die monatliche Provision für einen Teampartner mit President's-Team Status?

8.000 bis 10.000 Euro monatlich sowie eine persönliche Einladung und Ehrung vom Gründer und Vorstand der PM International, Rolf Sorg.

Das Fazit?

Das Motiv und die Gemeinsamkeiten zu erkennen, ist die hohe Kunst im Network Marketing. Über die Empathie an das Motiv kommen. Vertrauen und Sympathie aufbauen. Wer das schafft, kann den Erfolg, wenn er ihn wirklich will – denken wir an das brennende Verlangen – mit Fleiß und Begeisterung nicht verhindern. Übrigens gilt das für jedes Produkt und jede Präsentation. Früher waren das ausschließlich persönliche Gespräche, heute läuft vieles online, die Pandemie hat diese Entwicklung beschleunigt. Aber auch da gilt es, eine Beziehung aufzubauen, das erfordert, dass ich mein Gegenüber auch sehe, Facetime oder Zoom-Konferenzen helfen dabei. Das persönliche Kennenlernen, die gemeinsamen Erlebnisse bei Präsenz-Veranstaltungen, um gemeinsame Erfolge zu feiern, sind meiner Meinung nach immer noch durch nichts zu ersetzen.

Das klingt alles zu schön, um wahr zu sein. Aber es gibt doch auch in diesem Business viele Misserfolge und Enttäuschungen? Wie gehe ich mit Misserfolgen um?

Misserfolge und Enttäuschungen gehören dazu, weil jeder daraus lernen kann. Misserfolge kann ich differenzieren, sodass diese im Endeffekt keine mehr sind. Jedes Gespräch sollte mit einem Ergebnis beendet werden. Auch wenn der Interessent kein Partner und auch kein Kunde wird, möglicherweise hat er eine Empfehlung für mich. Außerdem werden durch jedes Gespräch Lernerfolge erzielt und jedes Gespräch bringt mich einen Schritt näher zu meinem Ziel – der nächste Erfolg kommt garantiert. Tankstellen der Motivation sind unsere Veranstaltungen, Gespräche mit Kollegen sowie mit dem Sponsor.

Du bringst in diesem Zusammenhang gerne das Beispiel des Prinzips der Zielscheibe. Was heißt das?
Ganz einfach: Stell dir eine Zielscheibe vor. Worauf wird gezielt? Auf die Mitte. Die Mitte, die 100, ist die Führungskraft, ich nenne diese Schlüsselperson, die genauso motiviert und positiv verrückt ist wie ich. Wer in die Champion's League, dem Traum eines jeden Teampartners, möchte, muss mindestens fünf persönliche Schlüsselpersonen in seinem Team haben. Besser sind natürlich mehr. Die Mitte der Zielscheibe wird natürlich nicht immer getroffen. Es wird die 60 getroffen, ein neuer Manager oder die 40, ein neuer Teampartner, die 20, ein neuer Kunde – alles grundsätzlich Fehlschüsse, wenn du die Zielsetzung in der Mitte berücksichtigst. Tatsächlich sind es ebenfalls Erfolge auf dem Weg zu deinem Ziel. Viele machen zu Beginn den Fehler und suchen erst einmal Kunden, zielen somit auf die 20 der Zielscheibe. Es besteht somit schnell die Gefahr, dass der „Pfeil" die Zielscheibe ganz verfehlt.

Deshalb mein Rat: Ziele immer auf die Mitte und du wirst alles andere treffen.

Apropos Rat. Was ist deine Empfehlung an alle, die in diesem Business erfolgreich sein wollen?
Der Wille und das brennende Verlangen etwas zu erreichen, zeigen sich immer durch Verzicht auf einige liebgewonnene Gewohnheiten. Dazu die Einstellung, das zu tun, was getan werden muss, tägliche Arbeitsmethode mit der Mindestgeschwindigkeit von zehn bis 15 Stunden pro Woche. Lernfähigkeit, sich weiter entwickeln zu wollen, von den Besten lernen und mit viel Spaß und Begeisterung dabei zu bleiben. Scheitern kann meiner Meinung nur der, der erst gar nicht startet, beziehungsweise der, der zu früh aufgibt.

Etwas Außergewöhnliches schaffen. Gilt das nur für das Business oder auch für das Leben des Ralf Wünsch?
Das lässt sich nie trennen, denn die Mechanismen des Geschäfts haben immer auch Auswirkungen auf das Leben außerhalb des Geschäfts. Brennendes Verlangen. Das ist das Stichwort.

Hast du dafür auch ein Beispiel?
Zumindest einen Beleg für meine These. 1990, Fußball-WM in Italien. Wir Amateur-Fußballer waren alle elektrisiert, Deutschland hatte eine gute Mannschaft mit Typen wie Lothar Matthäus, Rudi Völler oder Jürgen

Klinsmann und mit dem Bundestrainer Franz Becken-
bauer auch einen, der damals für jedwede Hoffnung gut
war. Nachdem Deutschland die Vorrunde als Gruppen-
erster gut überstanden hatte, ging es im Achtelfinale
gegen Holland. Ausgerechnet die Holländer, gegen die
wir 1988 in der EM in Hamburg ausgeschieden waren.
Wir waren alle völlig fußballverrückt und hatten uns
immer geschworen, wenn mal ein richtig gutes Spiel
ist, fahren wir hin. Also nach Mailand gegen die Holländer. Eine völlig idiotische und realitätsferne Idee.
Das passte überhaupt nicht, denn am Wochenende war
Arbeit angesagt, am Montag stand eine wichtige Klausur an und auch die geschätzten 1.000 Mark für den
Trip hatte ich nicht zur Verfügung. Aber eine fixe Idee
im Kopf. Etwas Außergewöhnliches schaffen. Mailand.
Holland. Die Entscheidung stand, ohne die Folgen für
Klausur, Arbeit und Kohle abzuschätzen. Natürlich
hatten wir auch keine Eintrittskarten, dafür jedwede
Warnung an die Deutschen gehört, bloß nicht nach
Mailand zu fahren. Mit vier Mann ging es dennoch
nach Italien, Samstagnachmittag um drei Uhr war Start,
Anpfiff war am Sonntag um 20 Uhr. 1.000 Kilometer
waren um Mitternacht zurückgelegt, ein Hotel schnell
gefunden. Noch in der Nacht machte das Gerücht die
Runde, dass es noch 2.000 Karten am Stadion geben
soll. Um sieben Uhr am Morgen waren wir da. Wir
wollten etwas Außergewöhnliches schaffen. Und wir
haben es geschafft. Am Ende hatten wir die Karten, 195
D-Mark pro Karte der Kategorie I bezahlt, saßen direkt

an der Mittellinie inmitten von Mailländer Fans, die das als Heimspiel sahen, denn mit Andreas Brehme, Stefan Reuter und Jürgen Klinsmann spielten drei Deutsche damals bei Internationale Mailand. Am Ende des Sonntags war es ein großartiges Erlebnis, wir hatten Riesenspaß, keinerlei Probleme mit den holländischen Fans und natürlich nach einem aufregenden Spiel mit dem Platzverweis von Rudi Völler und Frank Rijkaard 2:1 gewonnen. Das war für mich damals ein außergewöhnliches Erlebnis und die gewonnene Erkenntnis: Wenn du eine Entscheidung triffst, öffnen sich Türen, weil du nur nach Lösungen suchst und alle Unwägbarkeiten ignorierst.

Lass uns nochmal über den Weg zur Entscheidung reden. Eigentlich hatte alles gegen diese fixe Idee gesprochen. Kein Geld, keine Zeit, keine Eintrittskarte und drohende Randale mit den Holländern. Warum bist du trotzdem gefahren?
Richtig, realistisch betrachtet hat alles dagegen gesprochen. Aber es gibt einen wichtigen Satz in meinem Leben: „Die Wartezeit für den perfekten Moment dauert eine Ewigkeit." Es gibt keinen perfekten Moment, es wird immer irgendeinen Grund geben, warum was nicht geht. Aber es gibt immer auch eine gute Idee oder einen Plan, denn wenn der Plan größer ist als das Ziel, dann folgt der Mut, es zu tun. Mut war erforderlich, das brennende Verlangen, es zu viert, in einer Nachtfahrt, mit Geld für den Schwarzmarkt ausgestattet zu

schaffen, war der Plan. Mailand war Mut. Das Ergebnis großartig und letztlich mehr als nur ein Fußballerlebnis. Ich hatte erstmals das positive Erlebnis, dass ich etwas Außergewöhnliches schaffen kann, wenn ich es will.

Mal ehrlich? Wie wichtig war der „Kleine mit der Brille" für deine Karriere?

Das war mein erstes Schlüsselerlebnis und unglaublich wichtig, beziehungsweise entscheidend, für meinen tatsächlichen Start in diesem Business. Meine damalige „Wut" über mich selber, weil ich ja dachte, der Größte zu sein, war ziemlich groß. Ich war davon überzeugt, alles richtig zu machen, die Weisheit mit Löffeln gefressen zu haben und dann triffst du einen, dem du dich haushoch überlegen fühlst, und der zeigt dir dann, wo der Hammer hängt. Ich habe in diesem Moment eine Form der Demut gefühlt und daraus Motivation und brennendes Verlangen entwickelt: Ralf, das schaffst du auch, das musst du auch schaffen. Ich bin heute noch dankbar dafür und habe später die Karriere des „Kleinen mit der Brille" auch verfolgt. Er hat es in den neunziger Jahren unter die TOP 10 von Spikkers LR aus Ahlen, dem damals größten Network Unternehmens Deutschlands, geschafft. Vermutlich hat er nie erfahren, warum er für mich so wichtig war. Vielleicht liest er unser Buch und meinen nachträglichen Dank. Chapeau.

Interview...
...mit Bruder Jörg Wünsch:

„ICH LIEBE IHN, ABER ICH WEISS AUCH, DASS ER EIN MENSCH IST, DER POLARISIERT

Jörg, nach den Erinnerungen von Ralf ist er in den ersten zwölf Jahren weitgehend in einer behüteten Familie aufgewachsen. Sie waren damals im zarten Alter von acht Jahren, gibt es noch Erinnerungen an diese Zeit?

Wir sprechen vom Jahr 1977 und das war auch in meinen Erinnerungen noch ein Leben in einer ganz normalen Familie mit drei Kindern, meinem älteren Geschwistern Jutta und Ralf, ich war der Jüngste. Wobei wir natürlich auch feststellen müssen, dass es nicht ganz so normal war, denn unser Vater war auf Montage in der ganzen Welt unterwegs, also fast nie zuhause bei uns in Enniger. Wir lebten in einem Einfamilienhaus mit 1.000 Quadratmetern Grundstück, also auch räumlich in sehr angenehmen Verhältnissen.

Der Bruch kam dann, weil die Ehe in die Brüche ging. Der Vater ging im Ausland seine eigenen Wege und die Mutter hatte dann nach der Scheidung auch eine neue Beziehung, was erhebliche Konsequenzen für die Familie hatte. Ist der Eindruck richtig, dass Ralf da eine Vaterrolle übernehmen musste?

Ob er das musste, weiß ich nicht. Er ist da wohl reingewachsen, was den veränderten Lebensbedingungen geschuldet war. Unser behütetes Familienleben war mit der Scheidung vorbei. Das Haus war nicht mehr haltbar und wurde verkauft. Wir sollten in ein Reihenhaus ziehen, das aber noch nicht fertig war. Das war das größte Problem, denn wir landeten in einem sozialen Brennpunkt in Ahlen. Für mich war das mit neun Jahren zwar auch ein großer Bruch, aber nicht so gravierend wie für Ralf, denn ihm haben sie übel mitgespielt. Jedenfalls weiß ich das aus vielen Erzählungen und natürlich einigen schrecklichen Erlebnissen.

Beziehen Sie das auf die Familie?
Auch, denn meine Mutter hatte damals eine Bekanntschaft, die nicht so ganz reibungslos verlief, um das mal vorsichtig auszudrücken. Da gab es schon einige Vorfälle, die uns Kinder ziemlich mitgenommen haben, da gingen schon ab und zu mal Türen zu Bruch. Aber das muss nicht im Detail genannt werden.

Mich interessiert die Rolle von Ralf damals, der war dreizehn Jahre alt und übernahm so eine Art Beschützerrolle?
Das hat er. Vermutlich zwangsweise, denn als Dreizehnjähriger hat er die Randale ganz anders wahrgenommen als wir kleineren Kinder. Wir hatten nur Angst, aber Ralf hatte eben auch Angst um seine beiden kleinen Geschwister. Insofern war das naheliegend, dass er die Beschützerrolle übernommen hat oder auch übernehmen musste. Ich würde da sogar von einer Verantwortung reden, die er für uns gesehen hat.

Wie hat sich das konkret ausgewirkt?
Na ja, wenn der Herr mal wieder in unserem Haus gewütet hat, musste er uns zwangsläufig beschützen.

Teilweise hatten wir uns im Zimmer verbarrikadiert und Ralf hatte sich sogar darauf eingestellt, uns mit einem Knüppel zu verteidigen. Ich erinnere mich auch an eine eingeschlagene Glastür, da war ein großes Loch in der Mitte und dahinter stand Ralf mit dem Prügel. Wenn der Herr den Kopf durchgesteckt hätte, um die Tür zu öffnen, hätte Ralf zugeschlagen, um uns zu verteidigen. Das war knallhart damals. Gottseidank ist es dazu nicht gekommen. Das wäre nicht gut für alle Seiten gewesen. Wobei das für Ralf alles viel realistischer gewesen sein muss. Wir Kleinen haben das nicht ganz so bewusst erlebt oder begriffen. Ich war neun und meine Schwester Jutta elf Jahre alt, Ralf war 13.

Der Familienkrach war aber nicht das einzige Problem des heranwachsenden Ralf damals?
Nein, die Gesamtsituation muss sehr belastend für ihn gewesen sein, denn in der Ghetto-Siedlung haben sie ihn geächtet. Ich glaube, das war nicht mal persönlich gemeint, aber Ralf war schon damals zu erfolgreich für die Jungs in seiner Umgebung. Erstens ging er auf das Gymnasium, was in der Gegend nicht ganz so üblich war. Das hätte vermutlich alleine schon gereicht, um ihn als Außenseiter zu sehen. Aber Ralf war halt auch noch als Fußballer erfolgreich – das war wohl für einige der Burschen zu viel. Die haben ihm mehr als einmal aufgelauert und ihn verprügelt. Ich denke schon, dass diese Erlebnisse in der frühen Jugend bei ihm nicht in Vergessenheit geraten sind. Wobei Ralf noch nie

ein Meister der Diplomatie war. Vielleicht musste er die Prügel einstecken, weil er seinen Erfolg etwas zu provokant gezeigt hat. Ralf neigte schon immer zum Polarisieren.

Die Frage ist, inwieweit die Verhältnisse ihn geprägt haben?

Natürlich prägt das. Ralf war schon früh ein Kämpfer. Wie er uns verteidigt hat, das war doch nicht normal für einen Dreizehnjährigen. Verantwortung übernehmen – ich denke, dass diese Tugend sich damals entwickelte. Ralf gibt immer 110 Prozent. 80 oder 90 Prozent gibt es bei ihm nicht. Wenn er von irgendwas überzeugt ist, hängt er sich mit ganzem Herzen rein. Deswegen ist er später auch beruflich so erfolgreich geworden.

Interessant ist auch das Verhältnis zur Mutter damals. Die hat wohl seine Umsicht und Verantwortung für die Familie gerne angenommen, gleichzeitig aber versucht, ihn klein zu halten. Ein Psychologe könnte auch aus den Kränkungen durch die Mutter sicherlich seine Schlüsse ziehen. Wie damals, als Ralf mit 15 das Auto der Mutter ans Garagentor setzte.

Gut, unsere Mama war eher gegenteilig orientiert. Hätte er gesagt, sie soll das allen brühwarm erzählen, hätte sie wohl geschwiegen. Das war damals so eine Art Hassliebe zwischen den beiden. Wobei unsere Mutter noch heute Tränen in den Augen hat, wenn sie von

Ralf spricht. Er ist der Erstgeborene, von mir spricht niemand. Vermutlich war meine Mutter auch eifersüchtig wegen seines Geldes. Ralf hatte schon mit 15 mehr Geld als andere mit 20, weil er bereits früh mehr gearbeitet hat als mancher Zwanzigjährige. Der kleine Crash am Garagentor war ein einschneidendes Erlebnis. Um zu beweisen, dass er die Folgen des Malheurs alleine bereinigen kann, hat er gleich zwei Ferienjobs gemacht, um das Geld für die Reparatur zu verdienen. Ich glaube schon, dass diese Erlebnisse in der Jugend seinen Charakter geprägt haben. Zur Ehrenrettung meiner Mutter ist es schon wichtig zu erinnern, dass sie es damals sehr schwer hatte, denn der Unterhalt des Vaters für die Mutter mit drei Kindern lag weit unter dem üblichen Limit. Und wenn dann der Sohnemann plötzlich mehr Geld in der Tasche hat und sich schon früh viel leisten kann, mag das zu Eifersüchteleien geführt haben.

Als Ralf 18 Jahre alt war, waren Sie 14. Haben Sie mit großen Augen auf den großen Bruder geblickt?
Bei uns waren die Rollen schon in der Kindheit verteilt: Meine Schwester war der Liebling des Vaters, Ralf war der Star der Familie und ich war eher Mamas Schoßhund. Ich habe das alles in Ruhe beobachtet und es auch genossen, dass die ganze Aufmerksamkeit Ralf galt. Der hat deswegen schon früh Druck gehabt, musste gut in der Schule sein, nebenbei viel arbeiten, um die Erwartungen zu erfüllen – die er größtenteils sich selbst

gesetzt hatte. Aber weil er es auch allen erzählte, stand er unter besonderer Beobachtung. Was ich machte, hat keinen interessiert. Ich wollte noch nie im Rampenlicht stehen – im Gegensatz zu meinem Bruder. Auf die Frage bezogen: Nee, ich wollte damals nicht so werden wie mein großer Bruder.

Also gab es keine Ausfahrten mit Ralfs BMW?
Das hat sich so nie ergeben, was auch an dem Altersunterschied lag, der damals gravierender war als nominell die vier Jahre. Ralf war mit 18 eher schon wie ein Zwanzigjähriger und ich mit 14 eher noch wie 12. Er war ein Erwachsener, ich ein Kind. Wobei ich ihm schon beim Fußball zugeschaut habe. Irgendwie habe ich ihn auch bewundert, aber nie so, dass ich daraus den Schluss gezogen hätte, auch so zu werden wie er. Sein Auto interessierte mich nicht. Übrigens gilt das heute noch: Wir saßen unlängst in einem Imbiss und blickten beim Essen auf unsere Autos. Links stand mein 1.000-Euro-Wagen, daneben stand sein 250.000-Euro-Nobelschlitten. Wir grinsten uns an und mussten beide lachen und stellten uns scherzhaft die Frage: Sind wir wirklich Brüder? Ich finde super, wie er geschäftlich unterwegs ist, aber Neid war und ist mir fremd. Ich möchte seine Karre nicht haben. Er meine bestimmt aber auch nicht. Also, alles gut.

Aber Sie haben ihn in der Anfangszeit beim Business-Marketing unterstützt?
Nie wirklich. Eingestiegen in das Geschäft bin ich nie,

aber meinem Bruder habe ich immer gerne geholfen. Ich bin kein Vertriebler. Aber als Ralf irgendwann groß eingestiegen ist und Veranstaltungen organisiert hat, habe ich ihm den Rücken freigehalten. Ich habe ihm geholfen, habe Busse gemietet oder den Einlass organisiert. Sagen wir es so: Mein Bruder war der Star auf der Bühne und ich habe die Eintrittskarten abgerissen. Ich glaube, Ralf war am Ende dann enttäuscht, wenn ich bei den Nachbesprechungen oder der Feier zur gelungenen Veranstaltung nicht mehr dabei war. Aber ehrlich, Network-Marketing ist irgendwie nicht meine Welt.

Aber bezahlt hat er Sie doch?

Klar, mein Bruder ist sehr großzügig. Er hat mir ein eigenes Team aufgebaut, mit dem ich gutes Geld verdient habe. Unsere geschäftlichen Wege trennten sich, als meine erste Frau schwer erkrankte und ich mich um sie kümmerte. Nach ihrem Tod habe ich nie wieder für Ralf gearbeitet. Mein Team habe ich ihm zurückgegeben. Für mich war immer wichtig, unabhängig zu sein, nicht von irgendwem gekauft zu werden. Ich möchte frei sein. Beruflich möchte ich nicht auf einer Ebene mit ihm stehen, im Leben schon. Ich glaube, das tun wir beide auch. Wir haben ein sehr gutes Verhältnis, jedenfalls, wenn wir uns sehen. Es gab aber auch Zeiten, da haben wir uns ein halbes Jahr nicht gesehen. Aber das war kein Problem. Wir haben verschiedene Leben. Er steht gerne auf der Bühne und ich bin eher langweilig – aber ich bin gerne langweilig.

Sie würden einen Typen wie Ralf Wünsch im Leben nie treffen?

Ich glaube, das kann man so sagen. Da wo er hingeht, bin ich nicht und da wo ich bin, geht er nicht hin. Aber, wenn wir uns treffen, herzen wir uns. Klar, ich war auch schon mal mit ihm beim Fußball, aber so eine VIP-Karte interessiert mich wenig. Ganz ehrlich, ich gehe dahin, um meinen Bruder zu sehen, nicht wegen dem Luxus. Mir gibt das nichts, aber mein Bruder braucht das und nährt sich von solchen Events.

Eigentlich müsste ich Ihnen noch eine Frage stellen, aber ich weiß nicht, ob Ihnen die angenehm ist?

Also, mich können Sie alles fragen. Ich ahne auch schon, was jetzt kommt. Und ich beantworte diese Frage sehr gerne.

Also frage ich nach der gemeinsamen Frau?

Ich habe das geahnt, aber so wie die Frage gestellt ist, ist sie falsch gestellt. Wir hatten nie eine gemeinsame Frau. Aber ja, ich bin mit Ulrike verheiratet, Ralfs Ex-Frau. Aber die waren längst getrennt, als unsere Liebe entfacht wurde. Das lief alles in geordneten Bahnen, ich bin da nicht dazwischen gegrätscht. Aber als die beiden getrennt waren, gab es über gemeinsame Interessen eine Verbindung. Ulrike und ich sind christlich sehr engagiert und daraus ist die Liebe entstanden. Mein Bruder hat dabei keinerlei Rolle mehr gespielt.

Aber das war doch für Ulrike und Sie bestimmt nicht einfach, Ralf dieses Verhältnis zu beichten?

Nee, einfach war das nicht. Ich bin extra zu ihm gefahren, er lebte damals mit seiner Freundin und späteren Frau Heike in Löhne, etwa eine Stunde von uns entfernt. Ich wollte Ralf persönlich darüber informieren, dass Ulrike und ich ein Paar sind, damit er es nicht von Dritten erfährt. Ralf hat das sehr positiv aufgenommen und sich für mich bzw. uns gefreut. So ist mein Bruder. Das ist das Leben. Wobei für mich immer klar war, dass Ralf der Vater von Felix ist, diese Rolle wollte ich nie haben. Auch für Felix ist Ralf der Vater, auch wenn er „nur" der Stiefsohn ist.

Wenn wir das Gespräch mal bilanzieren: Was ist Ihr Bruder Ralf für Sie?

Erstmal mein Bruder, ich liebe ihn, aber ich weiß auch, dass er ein Mensch ist, der polarisiert.

Es gab auch beim Fußball früher meist zwei Lager: Die einen schworen auf Ralf, weil er immer hilfsbereit und großzügig war, weil er Verantwortung übernommen hat und weil er mit seinen Ideen auch etwas im Verein und in der Mannschaft bewegt hat. Andererseits gab es die Nicht-Ralf-Freunde, denen sein ganzes Gehabe irgendwie suspekt war, auch wenn sie letztlich von ihm profitierten.

Sie waren irgendwann auch einmal mit ihm zusammen in einer Fußballmannschaft. Aber das war nicht von Erfolg gekrönt.

Mein Bruder war klar der bessere Fußballer...

Stopp, Ralf sagt, Sie wären der begabtere Spieler gewesen...

...na, da hat er wohl eine Wahrnehmungsstörung. Der hat Bezirks- und Landesliga gespielt und zweimal den Kreispokal gewonnen und ich habe nichts gewonnen. Aber auch im Fußball war das damals schon der typische Ralf: Irgendwann hat es gekracht und er musste die Mannschaft wechseln. Weil Ralf so ist, wie er ist. Irgendwann habe ich ihm das mal gesagt, dass er sich mal überlegen müsste, warum er oftmals im Unfrieden gehen muss. Ob das eventuell nicht doch auch an ihm liegen könnte. Da hat er mich entgeistert angesehen. So hatte er das noch nie gesehen. Er ist eben sehr authentisch, ein Typ mit Ecken und Kanten. Auch deswegen ist er geschäftlich ganz nach oben gekommen, weil er keine Schau macht, sondern das Geschäft lebt.

Was sind die Stärken Ihres Bruders?

Neben seinem großen Einsatz und seiner Authentizität hat er die Gabe, bei komplizierten Problemen schnelle und gute Lösungen zu finden. Er ist lösungs- statt problemorientiert.

Sind Sie stolz auf Ihren Bruder?

Stolz? Ich liebe ihn. Beruflich finde ich toll, was er erreicht hat. Die Firma ist gut, das Produkt ist gut, aber mich interessieren andere Werte mehr. Ich versuche mich am Glauben zu orientieren. Ich schätze ihn sehr für seine Gaben und manchmal gebe ich auch mit ihm an und erzähle gelegentlich, dass mein Bruder Millionär ist. Beruflich bin ich stolz auf ihn, im zwischenmenschlichen Bereich steht er sich manchmal, glaube ich, selbst im Weg. Ich würde ihm mehr Frieden wünschen.

Sind Sie der glücklichere der beiden Wünschs?

Ich sage das mal so: Ich möchte nicht mit meinem Bruder tauschen. Wir sind eben sehr unterschiedlich.

KAPITEL SIEBEN

DER NEU-START

Jahreswechsel 2004: Wir schreiben das Jahr 2004. Herbstmeister in der Fußball-Bundesliga ist Werder Bremen, im Bundeskanzleramt regiert Gerhard Schröder, in Düsseldorf Peer Steinbrück und im westfälischen Ahlen startet Ralf Wünsch in die Selbstständigkeit.

Endlich aktiver PM Teampartner – seine Teampartnerschaft war nun „freigeschaltet", denn als er noch die Position Vertriebsleiter hatte, durfte er nur in seiner Freizeit – an den wenigen freien Wochenenden – seine Frau Ulrike unterstützen, die ebenfalls seit Januar 2001 im PM-Geschäft ist. Darüber hinaus durfte er persönliche Kontakte als PM-Teampartner unter seiner PM-Teampartner-Nummer registrieren. Provisionen auf diese Teams gemäß PM-Marketingplan gab es während seiner Zeit als Vertriebsleiter aufgrund möglicher Interessenkonflikte nicht. Das änderte sich aber schlagartig, weil Wünsch jetzt „frei" war und mal wieder motiviert bis in die Haarspitzen. Er wollte das umzusetzen, was er gelernt und andere gelehrt hatte: Mit einer Namensliste beginnt das Geschäft.

Bereits nach seiner letzten PM-Veranstaltung als Vertriebsleiter, der Weihnachts-Akademie 2003, durfte beziehungsweise sollte er auf Wunsch von Rolf Sorg sofort aktiv werden, um seinen Start als PM-Teampartner bestmöglich ab Januar 2004 vorzubereiten. Etwas über 300 Namen hatte er als potenzielle Ansprechpartner auf seiner Namensliste, alle wurden zu seiner Geschäftseröffnung ins Hotel Restaurant Witte in Ahlen-Vorhelm gleich im Januar eingeladen.

Das Schreiben der Wünschs
zum Neuanfang in die Selbstständigkeit.

Liebe Geschäftspartnerinnen, Liebe Geschäftspartner,

seit Januar 2001 arbeite ich erfolgreich in der Geschäftsleitung der PM International als Vertriebsleiter Deutschland. In dieser Zeit entwickelte sich PM International zu einem **TOP 100** Unternehmen in Deutschland mit über **€ 100.000.000 Umsatz** in über 20 Ländern Europas, den USA und Malaysia! __Patentierte Weltklasseprodukte__ für Gesundheit, Schönheit und Fitness sorgten für diese fantastische Entwicklung und damit gleichzeitig für die einzigartige Positionierung der PM-International **im größten Wachstumsmarkt des 21. Jahrhunderts!**

Mit großem Engagement und Freude konnte ich insbesondere an der vertrieblichen Entwicklung in den Bereichen **Neugeschäft, Ausbildungskonzepte** (Basis-Akademien, Führungskräfteseminare, Incentives) sowie **Betreuung und Unterstützung aller PM Teampartner** erfolgreich mitarbeiten. Durch die enge Zusammenarbeit mit **Gründer- und Vorstand Rolf Sorg** sammelte ich wertvolle Erfahrungen und nutzte hierbei **das Wissen** und **die Arbeitsweise** eines der **erfolgreichsten Networkers und Unternehmers** in Europa!

Aufgrund meiner Liebe zum aktiven Vertriebsaufbau mit täglicher Praxis, habe ich mich nach Rücksprache mit meiner **Frau Ulrike** und meinem **Sohn Felix** (ebenfalls begeisterte FitLiner) entschieden, **ab 01. Januar 2004** als Teampartner bei der PM zu starten!
Damit verzichte ich __freiwillig__ auf meine Position in der PM Geschäftsleitung und dem damit verbundenen sicheren und guten Einkommen.
Ich freue mich auf das Risiko der Selbständigkeit mit den fantastischen Marktperspektiven, besonders auf die **Leistungshonorierung des PM Marketingplanes** mit allen Sonderleistungen!

(Ralf, Felix und Ulrike Wünsch bei der Gala „10 Jahre PM International")

__Übrigens:__ **Meine Zielsetzung ist das Erreichen der höchsten Vertriebsstufe, Champions League! Diese Zielsetzung möchte ich bis 2007 umsetzen!**

Ich freue mich auf die künftige Zusammenarbeit und ganz besonders auf Ihren Anruf, wenn Sie Unterstützung benötigen bzw. gezielt mit uns gemeinsam diese einmalige Chance **im größten Wachstumsmarkt des 21. Jahrhunderts** erfolgreich nutzen möchten!

Sie erreichen uns jederzeit unter den Rufnummern **Mobil: 0172-5218124, Festnetz: 02528-378660 Fax: 02528-378662 oder per e-mail:** __ralfwuensch@t-online.de__ ! Persönlich treffen Sie mich auf den in meinem PM Terminkalender angegebenen Meetings im ersten Quartal 2004!

In diesem Sinne Wünsche ich Ihnen und Ihrer Familie ein Frohes Weihnachtsfest und einen Guten Rutsch in Neue Jahr 2004!

Ihre Familie Wünsch aus Ahlen in Westfalen

Ulrike, Felix und Ralf Wünsch

Zusätzlich schaltete Wünsch eine Zeitungsanzeige, die erfahrungsgemäß wenig Aussicht auf Erfolg hatte, die er aber dennoch für wichtig erachtete. Heute würde er stattdessen die Social-Media-Kanäle nutzen.

Die Teilnehmerzahl bei seiner Geschäftseröffnung im Hotel Witte, wo Wünsch in den nächsten Jahren viele seiner Veranstaltungen und Weihnachtsfeiern veranstaltete, war überschaubar. Die, die gekommen waren, trafen auf einen Networker, der große Ziele im Sinn hatte. „Visionäres Denken" sagt Wünsch heute über den Wünsch von 2004. Sein Ziel war der schnelle Aufstieg im Marketingplan, zusammen mit seinem Team. Dafür hatte er einen Jahresplan skizziert, in dem die Basisveranstaltungen eines jeden Networkers enthalten waren, garniert mit den Erfahrungen eines Vertriebsleiters, der wusste, wie das Geschäft funktioniert und – vor allem – wie es nicht funktioniert.

Auf dem Plan standen lokale Basisveranstaltungen (Ernährungsvorträge mit Geschäftspräsentationen, Starter Meetings, Teamtreffen) sowie regionale Sondermeetings und natürlich die Business-Akademien, die er mit seinem Team alle nutzte. Die lokalen Basisveranstaltungen fanden in seiner Heimatstadt Ahlen, im Raum Oldenburg und im Raum Kassel sowie in Österreich im Raum Schärding statt. In diesen Regionen hatte er seine Schlüsselpersonen, besonders motivierte Teampartner, identifiziert, die dankbar für seine Unterstützung vor Ort waren – kein Weg war ihm dabei zu weit!

März 04	Veranstaltung/ Seminarthema	Veranstaltungsort / Kosten	
1 Mo			
2 Di			
3 Mi			
4 Do	Termine im Raum Stuttgart		
5 Fr			
6 Sa	Basis-Akademie in St. Leon Rot 11.00 – 17.00 Uhr	Veranstaltungszentrum Harres in St. Leon Rot (€12,50 Tageskasse: € 15,–)	PM International GmbH 06232-296212
7 So	Ernährungsvortrag Oldenburg	Fitness-Studio Women´s 14.30 – 15.30 Uhr u. 16.30 –17.30 Uhr	Bärbel Rind, rind@nwn.de Fax: 0441/5948966
8 Mo	Starter-Meeting in Oldenburg mit Ralf Wünsch 19.00 – 21.30 Uhr		Bärbel Rind, rind@nwn.de Fax: 0441/5948966
9 Di			
10 Mi			
11 Do	EV mit Geschäftspräsentation in Oldenburg 18.00 – 21.00 Uhr	Fitness Studio Fitness Treff in Oldenburg	Bärbel Rind, rind@nwn.de Fax: 0441/5948966
12 Fr	Ernährungsvortrag im Raum Kassel	Hotel Panorama in Zierenberg – Burghasungen (€ 3,-- inkl. einem FitLine Gratis Getränk)	Elke u. Ralf Gedenk elke.gedenk@gmx.de Fax: 05606 5310316
13 Sa	FitLine Home Party Tagesseminar 10.00 -17.00 Uhr mit Ralf Wünsch uund PT Empacher / Furthner	Schärding in Österreich, Schärderingerhof (€ 15,-- mit Tischflipchart € 30,-- inkl. Unterlagen)	PT Empacher / Furthner 0043 - 7711 – 2250 ch.empacher@gmx.at
14 So	EV mit Geschäftspräsentation mit R. Wünsch 14.00 – 17.30 Uhr	DSC Benningen (€ 3,-- inkl. einem FitLine Gratis Getränk)	DSC-Benningen@gmx.de Tel.:07144-8833580
15 Mo	Ernährungsvortrag Oldenburg mit Ralf Wünsch	Fitness Studio Fitness Treff in Oldenburg	Bärbel Rind, rind@nwn.de Fax: 0441/5948966
16 Di	Starter – Meeting im Raum Kassel Mit Ralf Wünsch, 19.00 – 21.30 Uhr	Hotel Panorama in Zierenberg – Burghasungen, € 5,-- inkl. Unterlagen	Elke u. Ralf Gedenk elke.gedenk@gmx.de
17 Mi			
18 Do			
19 Fr			
20 Sa	Basis-Akademie Nord mit M. Paschukat, R. Wünsch, W.B. Gertler Special Guest: H-R. Lahm	Neustadt am RGB, VHS Zentrum Hannover Land, Suttdorfer Str.8 (€12,50 Tageskasse: € 15,–)	PM International GmbH 06232-296212

Dazu kam die tägliche Arbeitsmethode (TAM), in der täglich mindestens drei persönliche Geschäftsvorstellungen mit einem Interessenten im persönlichen Gespräch angesetzt waren.

Alles abgehandelt im typischen Ralf-Wünsch-Stil: Powern von morgens bis abends. Wünsch: „Wir sind mit einer Geschwindigkeit gestartet, die mich heute noch zugleich erstaunt und fasziniert."

Innerhalb von vier Monaten qualifizierten sich drei Teampartner im Raum Ahlen, Oldenburg und Kassel zum „International Marketing Manager" (jeweils 10.000 Punkte Teamumsatz) und einer zum Vice-Presidenten (25.000 Punkte Teamumsatz). Zur anschließenden Business-Akademie in Hannover, bei der viele Ehrungen für sein Team anstanden, konnte Wünsch im Mai 2004 118 Teampartner aus seinem Team motivieren.

Apropos Team Österreich: Das erfolgreiche Team in Österreich von Christine Empacher wurde unter der Teampartner Nummer von Wünsch bereits während seiner Tätigkeit als Vertriebsleiter bei ihm registriert, nachdem Christine Empacher zwar zuerst zu einem Mitbewerber abgewandert war, Wünsch sie aber davon überzeugte, wieder zurück zur PM zu kommen. Diese „Rückhol-Aktion" war zur damaligen Zeit nicht einfach und nur erfolgreich durch Hartnäckigkeit und dem persönlichen Vertrauensverhältnis zwischen Ralf Wünsch und Christine Empacher.

Folgerichtig die anschließende Entscheidung von Rolf Sorg, das Team Empacher Wünsch zur Betreuung zuzuweisen und später unter seiner Teampartner-Nummer zu registrieren.

Das Team Empacher, heute bereits in zweiter Generation bestehend, denn es wurde weitergeben an Tochter Steffi, entwickelte sich mit Hilfe von Wünsch bis heute zu einem erfolgreichen Team bei kontinuierlichem dynamischen Wachstum – also, alles richtig von Sorg entschieden und von Wünsch umgesetzt.

President's Team im April 2004

Spätestens nach der Business-Akademie in Hannover im Mai 2004 war Wünsch voll in seinem Element und zog alle Register seines Erfahrungsschatzes, um die neuen Führungskräfte zu fördern. Dabei galt es, die „Werkzeuge" der täglichen Arbeitsmethode (TAM) bis hin zur Basis-Rhetorik- und Sprecherausbildung dem Team beziehungsweise seinen neuen Führungskräften zu vermitteln, also alles, was er selbst gelernt hatte. Das

Sprecher-training in Ahlen im Jahre 2004.

Ziel für 2005 war klar fixiert: Eine eigene Business-Akademie und ein Direct-Sales-Center in Ahlen.

„Alles lief wie ein Länderspiel", sagt Wünsch in der Fußballersprache. So gut, dass bereits im April 2004 der Status „President's Team" erreicht war. Zu schnell für das Unternehmen. PM meinte diesen schnellen Aufstieg dem Vertrieb nicht vermitteln zu können und ehrte Ralf Wünsch beim Weltkongress 2004 nicht, was der zwar als kleine Enttäuschung wertete, aber gleichzeitig in Motivation umwandelte, um noch mehr Gas zu geben. 150 Prozent. Auch das sollte sich auszahlen, denn im September 2004 war es so weit: „Silver President's Team".

Mit zwei vollbesetzten Bussen ging es von Ahlen zum nationalen Kongress nach Frankenthal. Über 100 der rund 1.000 Teilnehmer stellte das Wünsch-Team. Die innere Genugtuung war schon bei Kongressbeginn für Ralf Wünsch groß, noch größer die Freude, als Rolf und Vicki Sorg ihn erstmalig bei PM auf der großen Bühne ehrten. Die Tränen in den Augen des ehemaligen Vertriebsleiters machten die Rührung deutlich. Wobei Wünschs Auftritt für den Erfolg des Teams nicht einmal der beherrschende Faktor war: Dass sein Team die meisten Ehrungen beim Kongress absahnte, rief einerseits große Anerkennung und Beifall hervor, gleichzeitig monierten die Wünsch-Kritiker aus seiner Zeit als Vertriebsleiter, dass es bei so einem schnellen Aufstieg nicht mit rechten Dingen zugegangen sein könne.

Für Wünsch war das wieder ein weiterer Ansporn, um beim Leadership zum Jahresende noch bessere Zahlen zu präsentieren. „Wer, wenn nicht ich, wusste, wie das Network-Geschäft funktioniert."

Allein die Teilnehmerzahl aus seinem Team im ersten Jahr als Teampartner an dem Wochenende in Altenmarkt/Zauchensee, einem kleinen Bergdorf im Salzburgerland auf 1.400 Metern Höhe, war erneut beeindruckend: Von den qualifizierten beziehungsweise anwesenden 150 Führungskräften waren 30 aus dem Wünsch-Team dabei.

Die Bilanz nach dem ersten Jahr: Das Wünsch-Team hatte sich zu einem Faktor auf nationaler Ebene entwickelt und der Leader sein ehemaliges Gehalt als Vertriebschef mehr als übertroffen.

Aber weil Bilanzen immer auch etwas Endgültiges beinhalten, wertete Wünsch das erste Jahr lediglich als Zwischenschritt. Seine Zielplanung hatte visionäre Züge: Möglichst schnell wollte er nach den ersten beiden Champion's League-Aufstiegen von Carsten Ledulé und Joachim Heberlein die dritte Champion's League in der Erfolgsgeschichte der PM International werden.

Januar 2005: Bundeskanzler Gerhard Schröders Reform der Hartz IV-Gesetzgebung tritt in Kraft, in Toulouse wird der neue Airbus A380, das größte Passagierflugzeug in der Geschichte der Luftfahrt, mit einer großen Licht- und Lasershow der Öffentlichkeit vorgestellt und in Italien gilt seit 1. Januar ein generelles Rauchverbot in Restaurants und Gaststätten und in Ahlen geht Ralf Wünsch zuversichtlich in sein zweites Jahr als Teampartner der PM International.

Nach seiner ersten offiziellen Ehrung zum „Silver President's Team" im September 2004 gab es im Team keinerlei Zweifel mehr, dass die angestrebten Ziele auch in diesem Jahr realisiert werden können. Mit rund 360.000 Punkten Teamumsatz (ein Punkt entspricht etwa einem Euro) im Monat Dezember 2004 schaffte es das Wünsch-Team in die TOP 10 der PM International. Die Zielsetzung beim Leadership formulierte Wünsch somit selbstbewusst für das Jahr 2005: „Gold President's Team".

Eine wichtige Entwicklungsetappe zum Erreichen der Zielsetzung für 2005 war eine eigene lokale Business-Akademie sowie ein eigenes Direkt-Sales-Center vor Ort in Ahlen. Aufgrund der rasanten Entwicklung des regionalen Umsatzes im Raum Ahlen wurde beides zeitnah Ende 2004 vom Vertriebsleiter Patrick Bacher genehmigt. Bereits im Februar 2005 fand die erste Business-Akademie Ahlen im Hof Münsterland statt, zwei Monate später wurde in Ahlen das Direct-Sales-Center

Silver President's Team Ehrung im September 2004.

Freude bei der After-Showparty,
links Franz Brandmüller.

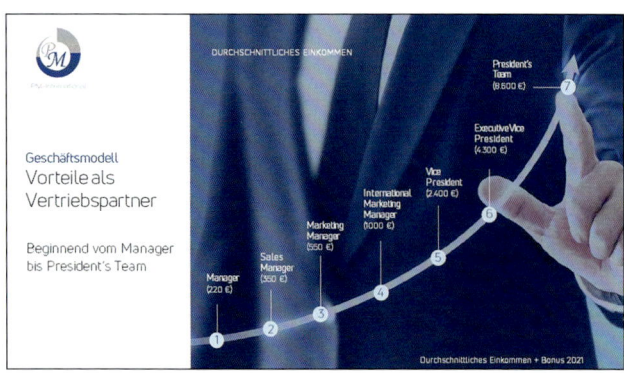

Ahlen eröffnet. Ralf Wünsch wusste aufgrund seiner Erfahrungen als Vertriebsleiter um die Bedeutung und Wichtigkeit dieser beiden Elemente für die weitere dynamische Entwicklung seines Teams.

Der ehemalige Vertriebschef war der erste Teampartner bei PM, der eine Business-Akademie eigenverantwortlich veranstaltete. Eigenverantwortlich bedeutete dabei sowohl die vertriebliche Verantwortung mit Sprecherauswahl, Ablauf, Promotion, Kartenverkauf, Technik als auch die wirtschaftliche Verantwortung hinsichtlich der Kosten. Die notwendige Unterstützung seitens der PM wurde durch Susi Bendusch sichergestellt, seiner ehemaligen Abteilungsleiterin Bestellannahme, die als feste Ansprechpartnerin alle notwendigen administrativen und organisatorischen Notwendigkeiten mit Wünsch koordinierte. Dazu gehörten beispielsweise eine Ausstattung für die Bühnen-Deko, alle entsprechenden Kopiervorlagen für die Bestellzettel, BA-Unterlagen für jeden Teilnehmer, Promotions-Artikel für die Verlosungen und wichtige vertriebliche Infos, die bekannt gegeben werden sollten. Der Kartenverkauf lief zentral über die PM in Speyer. Das Budget zur Finanzierung der Business-Akademie ergab sich aus diesem Kartenverkauf, aus den Gutscheinen für den Erstbesuch neuer Teampartner sowie einem prozentualen Anteil am Umsatz der Promotions-Artikel und der BA-Specials – je mehr Teilnehmer an der Business-Akademie teilnahmen und je höher der Umsatz und die Kartenverkäufe für die nächste BA waren, umso höher war der Deckungsbeitrag – so hatte er es gelernt. Demzufolge wusste Wünsch, ab welcher Teilnehmerzahl er kostendeckend war – damals waren es zwischen 100 und 150 Teilnehmern.

Start mit 200 Teilnehmern

Damit die Business-Akademie vertrieblich und auch wirtschaftlich erfolgreich war, nutzte Wünsch seine guten Kontakte zu seinen Kollegen, die im Raum Ahlen und Umgebung über Teams verfügten.

Er lud alle persönlich ein, sodass Wünsch beim Start im Februar 2004 bereits über 200 Teilnehmer begrüßen konnte – diese Zahl wurde im Laufe des Jahres kontinuierlich Schritt um Schritt gesteigert. Auf der Business-Akademie im Dezember 2005 waren es sogar um die 400 Teilnehmer.

Wünsch zog alle Register seines Erfahrungsschatzes und dazu gehörten neben einer perfekten Organisation vor allem die Auswahl der Sprecher. Insbesondere die Special-Guests waren immer im Mittelpunkt der Promotion und sollten für ein „volles Haus" sorgen.

Dementsprechend verpflichtete Wünsch frühzeitig alle Special-Guests für das gesamte Jahr 2005.

Mit Hansi Aufinger, Joachim Heberlein, Dirk Gräber, Peter Thum, Guido Buch und Firmenchef Rolf Sorg war die Creme de la Creme neben weiteren Gästen aus den Top-Ten in Ahlen auf der Bühne. Im Backoffice hatte Wünsch die Familie zur Unterstützung: Ehefrau Ulrike war mit an der Front im Saal, Bruder Jörg organisierte so ziemlich alles hinter den Kulissen, vom Kartenverkauf bis zur Einlasskontrolle und dem Fahrservice, und der erst 12-jährige Sohn Felix steuerte die Veranstaltungstechnik. Wünsch: „Wir waren ein kleines Familienunternehmen im Familienunternehmen."

Auch ausgestattet mit dem mittlerweile 40-jährigen Ralf Wünsch als Controller, der penibel darauf achtete, dass unter dem Strich nach einer Business-Akademie auch die Zahlen stimmten: Beteiligung, Umsatz des Special-Angebots und verkaufte Karten für die nächste Akademie – wie er es bei Rolf Sorg gelernt hatte.

„Die Business-Akademien sind das wichtigste Instrument für den Weg nach oben", sagt Ralf Wünsch, der allen ambitionierten Teampartnern diese klassische Veranstaltungsform nahelegt, auch in Zeiten der Video-Konferenzen, denn: „Die psychologischen Effekte einer erfolgreichen Veranstaltung kann kein Online-Format

Volles Haus bei der Business-Akademie Ahlen...

*...mit Special-Guest
Joachim Heberlein.*

ersetzen", so seine Erfahrung, die er vor allem an einem Element festmachte: Einer der Kardinalsantriebe des Menschen sei das Streben nach Lob und Anerkennung – und dies bekämen die besten Teampartner auf allen Ebenen zur Genüge bei den Akademien und Kongressen, wenn sie für ihren Erfolg auf der großen Bühne ausgezeichnet werden.

Auch deswegen sei es wichtig, möglichst viele Teilnehmer für die großen PM-Veranstaltungen zu motivieren. Wie im September 2005, zum nationalen Kongress nach Mannheim, zu dem das PM-Europa-Team, so nannte sich das Team Wünsch jetzt seit Mitte 2005, mit drei Bussen angereist war – aus Ahlen, Oldenburg und Kassel. Es gab schließlich auch etwas zu feiern: „Gold President's Team".

Die Wünsch-Familie auf Erfolgskurs.

Der Dezemberumsatz 2005 mit 480.000 Punkten Teamumsatz im zweiten Jahr wurde sogar um 20.000 Punkte übertroffen, was ihnen im internen Ranking der PM International einen Platz unter den TOP 5 einbrachte. Als „Belohnung" durfte Wünsch beim Leadership Meeting in Zauchensee im Dezember 2005 über das Thema Zeit und Zielplanung referieren – das PM Europa Team hatte sein Ziel für 2005 mehr als erreicht, so sollte es weitergehen.

Großer Bahnhof bei der Business Akademie in Ahlen.

235

Interview...
...mit Christine Empacher
(Gold President's Team)

„...EIN ECHTER FREUND, DEM ICH ALLES ERZÄHLEN KANN. ICH WÜNSCHE IHM ALLES GLÜCK DIESER WELT

Können Sie sich noch an Ihr erstes Zusammentreffen mit Ralf Wünsch erinnern, wann war das wo?

Ja, das kann ich noch genau. Es war im Dezember 2000 beim Leadership im Pitztal/Tirol. Es war unsere erste Live-Begegnung mit den Führungskräften, nachdem Rolf Sorg unsere Struktur im November 2000 gekauft hatte. Ralf war auch ganz neu bei PM.

War der Herr Ihnen gleich sympathisch und konnten Sie erahnen, dass mit ihm eine lange Zusammenarbeit möglich ist?

Ja, er war mir sehr sympathisch. Wir hatten einen grandiosen, lustigen Hüttenabend nach dem Leadership und lernten uns bei Weißbier, das uns beiden schmeckte, näher kennen. Von Zusammenarbeit war da noch keine Rede, daher hatte ich damals auch nicht darüber nachgedacht.

Ralf Wünsch spricht davon, dass er Sie für PM zurückgeholt habe, wie ist ihm das gelungen?

Textausschnitt aus dem Buch: Apropos Team Österreich: Das erfolgreiche Team in Österreich von Christine Empacher wurde unter der Teampartner Nummer von Wünsch bereits während seiner Tätigkeit als Vertriebsleiter bei ihm registriert, nachdem Christine Empacher zu einem Mitbewerber abgewandert war und Wünsch sie davon überzeugte, wieder zurück zur PM zu kommen.

Diese „Rückhol-Aktion" war zur damaligen Zeit nicht einfach und nur erfolgreich durch die Hartnäckigkeit und dem persönlichem Vertrauensverhältnis zwischen Ralf Wünsch und Christine Empacher. Ja, das war wohl das Wichtigste, was er für meine Karriere getan hat. Er hat an mich geglaubt. Ich entfernte mich 2002 von PM, da mein Partner und ich, mit dem ich anfangs das Geschäft begonnen hatte, ersthafte private Probleme hatten. Ich meinte, er solle ruhig bei PM bleiben und ich baue mit einem neuen Network mein eigenes Geschäft auf. Normalerweise, wenn ein Paar gemeinsam aufbaut und man wechselt dann zu einem anderen Network, wird deine Nummer gesperrt und dein Einkommen ist weg. Ralf, der als Vertriebschef schon damals ein sehr gutes Verhältnis zu uns hatte und uns schon sehr viel unterstützte, rief mich an und redete „von Mensch zu Mensch" mit mir. So hat er schnell erkannt, dass mein Abschied von PM rein private, aber keine geschäftlichen Ursachen hatte. So wurde auch nur mein Scheck gesperrt und mein Expartner durfte bei PM weiter aufbauen.

Ralf intervenierte offensichtlich bei Rolf Sorg, nach dem Motto: „Gib ihr Zeit, lass sie gehen, die wird ganz sicher wiederkommen."
So war es auch, nach einigen Monaten war ich wieder bei PM. Dafür bin ich Ralf ewig dankbar, denn das zeugt von großer Menschenkenntnis und Empathie. Unsere geschäftliche Beziehung wurde vertieft, es entstand eine echte Freundschaft, verbunden mit einem Riesengeschäft.

War Ihnen damals klar, dass mit Ralf Wünsch große Ziele erreicht werden können?

Ja, das war mir sonnenklar.

Ralf Wünsch sagt selbst, dass er damals Probleme hatte, immer den richtigen Ton in der Ansprache zu finden. Auch bei Ihnen?

Ja, gelegentlich musste ich schon schlucken, aber er hatte stets recht, auch wenn die Wahrheit manchmal weh tut. Aber durch seine Erfahrung sah er immer schon weiter als ich, daher gab es von ihm auch manche etwas schroffe Korrektur. Aber ich habe immer auch in sein sehr weiches, großzügiges Herz gesehen. Das zeichnet Ralf Wünsch aus.

Besonders in Erinnerung geblieben ist mir....

...dass er auf die Abrechnungen, die er als Vertriebsleiter unterschreiben musste, immer eine lobende persönliche Bemerkung schrieb. Das fand ich nett. Mein Partner hat es gehasst.

Außerdem hat Ralf uns öfter in Österreich beim Aufbau geholfen. Kam spätnachmittags nach fast 750 Kilometern Anfahrt, dann hielt er einen Vortrag mit anschließendem gemeinsamen Essen und Feiern mit dem Team. Anfangs hat er auch mal bei uns im Wohnzimmer auf einer alten Couch geschlafen. Nachts hat sich dann der Dobermann Lady zu ihm gelegt und ihn abgeleckt. Wobei ich glaube, dass Ralf Hunde eigentlich nicht so sehr mag.

**Können Sie drei Tugenden nennen,
die Ralf Wünsch ausmachen?**

1. Seine Beharrlichkeit schon vor seiner PM-Karriere.
   Jeder andere wäre untergegangen.
2. Seine Fähigkeit, Erfahrung zu teilen und zu lehren.
3. Er kann/mag hart arbeiten, ist immer verlässlich –
   und er kann hart feiern. Das verbindet uns.

**Gibt es auch negative Tugenden,
die Sie mit Ralf Wünsch in Verbindung bringen?**

Er ist auch nur ein Mensch und manchmal, wenn es
ihm schlecht ging, hat sich seine Laune auch auf's Team
übertragen. Ich denke, das geht jedem mal so, außerdem
ist er Choleriker – wie ich auch – da kracht es schon
mal. Aber er ist nie nachtragend.

**Und am Ende bitte diesen Satz ergänzen:
Ralf Wünsch ist für mich....**

...mein absolutes Vorbild im Geschäft, mein Mentor
und ein echter Freund, dem ich alles erzählen kann.
Ich wünsche ihm alles Glück dieser Welt.

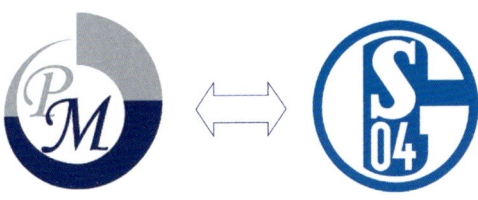

Das Schalke-Abenteuer

Im November 2005 rief Andreas Ulbrich aufgeregt Wünsch an. Ulbrich, ein Teampartner der ersten Stunde im Wünsch-Team, war nicht nur ein engagierter Teampartner, sondern noch mehr ein Ruhrpott-Urgestein und Schalke-Fan, einer, der in blau-weißer Bettwäsche nächtigt – und einer, der auch eine Vision hatte: Den Schalke-Spielern mehr Energie mit Fitline zu verschaffen und den Verein als strategischen Partner zu bekommen. Wünsch: „Dass der einfach so mit viel Raffinesse und Hartnäckigkeit auf der Schalke-Geschäftsstelle die Handynummer vom damaligen Präsidenten Josef Schnusenberg bekommen hatte, war schon überragend." Und weil er den Präsidenten damit am Telefon neugierig gemacht hatte, dass es um Millionen für Schalke gehen könne, bekam Andreas Ulbrich relativ schnell einen Termin beim Präsidenten. Am 7. Dezember 2005. Der Termin lässt sich aus der Historie deshalb so genau fixieren, weil sich Ralf Wünsch noch daran erinnert, dass ihnen im Heiligtum der Schalke-Geschäftsstelle ein müder Präsident und ein sichtlich geschaffter Manager Rudi Assauer gegenübersaßen –

die beide mit der Mannschaft wenige Stunden zuvor aus Mailand gekommen waren. Schalke hatte in der Gruppenphase in der Champion's League nach gutem Spiel mit 3:2 im Giuseppe Meazza-Stadion verloren. Also gab es erstmals Powercocktails für die angeschlagene Schalke-Führung. Mit der erwarteten Wirkung. Die Herren wurden wach und hellhörig. Wünsch präsentierte kurz und bündig und Assauer biss an: Wenn das Produkt wirklich so gut sei, könne sich das bei den Fans gut vermarkten lassen und Schalke finanziell profitieren. Ein kühner Plan, den es so im Fußball-Business noch nicht gab. Ralf Wünsch war entsprechend euphorisiert: Wenn es bei Schalke klappt, warum dann nicht auch in Bayern, bei der Borussia und irgendwann auch in Barcelona?

Alles schien gut zu laufen. Beim nächsten Termin kam das Duo Wünsch/Ulbrich mit dem Verantwortlichen der PM aus dem Sportmarketing, Thorsten Weber, und dem damaligen Leiter des wissenschaftlichen Beirates, Dr. Gerhardt Schmitt, nach Gelsenkirchen, um die Schalker Mediziner zu überzeugen. Auch das war erfolgreich. Nächster Termin beim Firmenchef Rolf Sorg in Speyer. Der damals schon legendäre Rudi Assauer bei PM. Alleine das war schon außergewöhnlich, wenngleich Rolf Sorg in dem Fußball-Manager nur einen potenziellen Kunden sah – die Faszination Fußball ist bei Sorg nicht sonderlich entwickelt. Wünsch: „Wenn Assauer geangelt hätte, wäre das Treffen sicherlich weitaus emotionaler gewesen."

Protokoll Vertriebskonzept Schalke 04 am 17.Januar 2006 von 9.00 – 11.00 Uhr

Teilnehmer: Rolf Sorg, Torsten Weber, Ralf Wünsch, Andreas Ulbrich

Hintergrund:
Der Fußball Bundesligist **F.C. Schalke 04**, Traditionsverein im Ruhrgebiet von 1904, konnte erfolgreich als Vertriebspartner (Erstlinie A. Ulbrich) der PM International im Dezember 2005 gewonnen werden. Außerdem zusätzlich 3 neue Vertriebspartner, wobei bereits ein Gesamtumsatz von **3.807 Punkte in 12/05** resultierte! Der komplette Lizenzspielerkader (26 Spieler) nutzt die FitLine Produkte seit dem 4.Januar 2006! Zur Vorstellung eines Gesamtkonzeptes einer Kooperation zw PM und Schalke wurde mit dem Schalker Vorstand, Josef Schnusenberg (Finanzvorstand) und Rudi Assauer (Manager und Präsident ab 01.07.06) ei in Speyer am 30.01.2006 vereinbart! Zur Vorbereitung dieses Termins wurde heutige Termin durchgeführt und folgendes erarbeitet:

Zielsetzung:
1. Sportmarketing Vertriebskonzept für Schalke erstellen
2. 100% Commitment von Schalke 04 = 100% Commitement von PM
3. Schalke in 18 Monaten in die PM Champions League führen

Voraussetzung:
Ansprechpersonen zur Sicherung der Kommunikation und Betreuung wur als erstes festgelegt:
1. **J. Schnusenberg und R. Assauer** - Rolf Sorg (in Vertretung bzw vorbereitend Wür
2. **Trainer Mirko Slomka** – Torsten Weber
3. **Dr. Thorsten Rarreck** - Dr. Gerhard Gerhard Schmitt
4. **Ökotrophologe Christian Frank** – Dr. Gerhard Schmitt

Grundvoraussetzung: Produkte nutzen – Erfolgsberichte

Das FitLine Testprogramm muss zwingend eingehalten werden, damit gestellt wird, dass auch die entsprechenden Erfahrungsberichte folger Somit ist es erforderlich, zwecks nochmaliger genauer Abstimmung hi Darreichung der FitLine Produkte, dass die Medizinische Abteilung vo sowie auch Dr. Gerhard Schmitt ebenfalls bei der Besprechung am 3 vertreten ist! Es wurde festgelegt, dass aus folgenden Abteilungen v Erfolgsberichte für ein gezieltes Marketing notwendig sind:
1. **Lizenzspieler** (E. Sand, G. Asamoah, K. Kuraniy)
2. **Vorstand – Aufsichtsrat, d.h. ehemalige Spieler (Idole de** (Assauer, Ch. Neumann, O.Thon etc.)
3. **Medizinische Abteilung** (Dr. Rarreck, Dr. Panadopoulou)

I. Auße

Herr Sorg wi
mit Telefon
Konzept des
umprogramm
Bearbeitung
bedeuten, da
oder per Ruf
Schalker Ges

Phase II
Die Mitglieder Akquise und Endkundengewinnun
Zeitschrift gesteuert (erscheint 14-tägig)
In jeder FAN Zeitung sollte 1. Seite mit FitLine E
Erfolgsberichte über Produktergebnisse und Ak
Ausgaben ausschließlich über Produkt, anschli
Endkundengeschäft wird im Call Center direkt
Geschäftsstelle werden mittels eines Fragebog
Führungskräfte weitergeleitet!

Phase III
Sponsoren, Unternehmer und Gönner werden übe
Wellness - Schiene akquiriert. Vorstand von Schalke läd person
einem Gesundheitstag, Ernährungsvortrag, Produktverkostung und kleines
Fitness-Buffet am Wochenende (vor einem Heimspiel)!
Für das Optimal-Set wird ein Karton mit Private Label produziert, d.h. Schalker
ABO Kunden etc. erhalten ihr Optimal-Set im „Schalke" Karton!

eingerichtet! Das bedeutet, PM stellt Personal, Büro-und Lagerinventar sowie
Produkte! Die Räumlichkeiten stellt Schalke 04 mietfrei zur Verfügung!

II. Akquise
Preisschwelle: € 40. Die Akquisition sollte deshalb in 3 Schritten erfolgen:
1. **Energie – Activize OXYPLUS**
2. **Ernährung – Mahlzeitenersatz bzw. Riegel**
3. **Gesundheitsschiene – LUXUS – Optimal-Set**
Für eine gezielte Einführung und Bekanntmachung von FitLine wird der Activize
POWER DRINK in der 250ml Dose mit Private Label, d.h. mit Schalke Logo und
Schalker Slogan, verwendet!
Die Einführungs-Aktion mit Activizer erfolgt per Live Verkostung im Stadion!
Hierbei wird ein Film über die Verkostung einiger Spieler und Rudi Assauer über
den „Mediawürfel" kurz vor dem Anstoss im Stadion übertragen. Die Einleitung
und Live Verkostung mit allen Zuschauern, die unter ihrem Sitz eine Dose finden,
wird durch den Stadionsprecher moderiert! Die Marke FitLine als neuer Schalker
Kooperationspartner wird kurz vorgestellt, d.h. schnell bekannt und an den
vorhandenen Verkaufsstellen im Stadion, im DSC und allen FAN Shop's verkauft.
Activize OXYPLUS, Actibeutel und Activizer mit Schalker Private Label soll es
geben! Der Werbefilm der Verkostung wird bei jedem Spiel in der Arena
mindestens 2 Mal abgespielt und zwar vor dem Anstoß und kurz vor der Halbzeit!

Insgesamt ist das Akquisitionskonzept auf 5 Säulen aufgebaut
1. **FAN CLUB**
2. **Mitglieder und Endkunden Akquise vor Ort**
3. **Unternehmer – Sponsoren Akquise**
4. **Ehemalige Spieler**
5. **Auslandskontakte / Vereine im Ausland**
Für jeden Bereich wird von Schalke 04 ein Projektleiter benannt, so dass die
Projekte von beiden Seiten (PM und Schalke) unterstützt werden!

III. Akquisition Phase I + II + III
Zur Bearbeitung des FAN CLUB Potentials werden 10 kompetente Erstlinien
ausgesucht, die von uns (Wünsch/Ulbrich) ausgebildet werden. Der 2. Schritt ist
das jeder der 10 Partner seinerseits 10 sponsert (insgesamt sind es dann 100)
und diese 10 mit Hilfe ihrer Sponsoren und Team Wünsch/Ulbrich nochmals
jeweils 10 Partner sponsern (dann sind es insgesamt 1000 Partner). Hierfür ist
diese strategische Vorgehensweise notwendig, die mit viel persönlicher
Einarbeitung und Ausbildung verbunden ist! Zur Findung der ersten 10 Partner ist
aufgrund des großen Potentials eine Vorselektion erforderlich!
Quasi eine Ausschreibung: Sie können an der Spitze des Geschäftes der
Kooperation Schalke/PM stehen usw.! Die Bearbeitung erfolgt also durch
Ausschreibung, Bewerbung, Selektion usw.! Die Bearbeitung erfolgt also durch
Einarbeitung! Parallel werden Planquadrate zu GP, Entscheidung, Praktische
Potentials (später dann natürlich dann auch Mitglieder und nicht organisierte
FAN´s) gebildet! Nachdem die FAN Club's akquiriert sind erfolgt eine gezielte
Telefonaktion für FitLine und GP´s bzw. vor jedem Heimspiel in den
vorhandenen Seminarräumen des Vereinsgeländes. Ein Heimspiel ist wieder das
Commitment von Schalke gefordert, d.h. es werden kostenfreie Seminarräume
benötigt und interne Unterstützung durch die Organisation!

Die Phase IV + V erfolgt sind Projekte für 2007, da Erfahrungswerte aus den Phasen I und III gebraucht werden!

Zusammenfassung - Was bietet PM

- Verkauf von FitLine Schalke Artikel über 17 Verkaufsstellen in Deutschland und über das PM Logistik Center weltweit
- Kostenfreier individuelle Internetauftritt
- PR Arbeit und professionelles Marketing
- Einrichtung und Personalstellung für eine Verkaufsstelle (DSC) vor Ort auf dem Schalkegelände
- Kostenloses Vertriebs KNOW HOW
- Exclusive Projektbetreuung durch PM Geschäftsleitung, Sportmarketing und intern. wissenschaftlichen Beirat
- Investitionen in Private Label und Vorfinanzierung der Geschäftsstelle
- Private Label Produktpalette mit Einführungsaktion
- Exclusivrecht für die Umsetzung des Konzeptes bis Ende 2006
- Premium Partnerschaft mit dem Marktführer PM

Wir brauchen von Schalke 100% Commitement

- volle Unterstützung der medizinischen Abteilung insbesondere beim Lizenzspieler Testprogramm (Erfolgsberichte)
- Erfolgsberichte aus den o.a. Schalker Abteilungen
- Interne Ansprechpartner, d.h. Projektleiter für die Durchführung der geplanten Projekte auf dem Schalker Gelände und der Kommunikation
- Gute Zusammenarbeit mit Marketingabteilung für Stadion- und Mitgliederzeitung sowie Internetbetreuung etc.
- Mietfreie Räumlichkeiten für Verkaufsstelle
- Mietfreie Räumlichkeiten für Ausbildung und Infomeetings
- Stadionwerbung bei Heimspielen über Mediawürfel

Überarbeitet am, 26.01.2006 Ralf Wünsch

Immerhin waren sich die Beteiligten einig: Schalke kann ein Einstieg in das Fitline-Fußball-Geschäft werden. Entscheiden sollten das in letzter Konsequenz die Marketing-Strategen auf Schalke. Doch das wurde letztendlich zum Problem, da die Verantwortlichen der Marketing-Abteilung die Begeisterung Assauers und des Präsidenten nicht teilen konnten, obwohl Wünsch ein sehr detailliertes Vertriebskonzept ausgearbeitet und zum Termin vorgelegt hatte. Er war und ist sich bis heute sicher, dass dieses Konzept mit entsprechender Unterstützung des Schalker Managements erfolgreich gewesen wäre. Doch das Gespräch mit dem Marketing-Chef war wenig verheißungsvoll: „Wir können doch aus unseren Fans keine Tupper-Berater machen", so die nüchterne Beurteilung ohne jede Empathie oder Vision. Das Ergebnis war ein Standard-Vertragsentwurf: Für 250.000 Euro das Fitline-Logo auf den Schalke-Medizinkoffern. Wünsch: „Die hatten nicht begriffen, worum es geht."

Das Ende des Schalke-Abenteuers barg große Ernüchterung, wobei das „Abenteuer und der Weg" für Wünsch „sehr spannend und lehrreich waren". Die Konsequenz für ihn: „Ich habe mich seit dieser Zeit nie mehr in einem solchen Umfang vertrieblich bei Vereinen engagiert." Wobei er auch feststellt, dass Sportmarketing für Fitline ungemein wichtig sei, weil die Werbepartner aus dem Sport Leitfiguren für die Produkte seien. Gleichwohl führe ein Geschäftsaufbau mit Vereinen oder Weltklasse-Sportlern zu über

90 Prozent nicht zum Erfolg. An dieser Stelle zitiert Ralf Wünsch den Leitsatz seines alten Freundes und Mentors Franz Brandmüller: „Wir suchen nicht nach Einrichtungen mit Potential, sondern nach Menschen, die mit brennendem Verlangen große Potentiale erschließen wollen."

Januar 2006: Mit zwei Erkenntnissen gehen die Bundesbürger ins neue Jahr: Das landesweite Gesetz zum Nichtraucherschutz tritt in Kraft. Rauchen ist somit in Bürogebäuden, kulturellen Einrichtungen, Einkaufszentren und öffentlichen Verkehrsmitteln verboten. Außerdem gibt es aus England erstmals die Nachricht: Der Klimawandel hat einer britischen Studie zufolge sehr viel dramatischere Folgen als bislang angenommen. In Deutschland ist die Vorfreude auf die im Juni beginnende Fußball WM 2006 noch verhalten.

Vom späteren Sommermärchen träumt noch niemand, auch nicht der fußballbegeisterte Ralf Wünsch in Ahlen, der nach zwei Jahren als PM-Teampartner auf Wolke sechs ins neue Jahr startet. Wolke sieben ist für 2007 geplant, der Aufstieg mit seinem erfolgreichen Team in die Champion's League.

Dafür ist der nächste Schritt wichtig, die Übertragung seines Ausbildungskonzeptes und sogar die Expansion des PM-Europa-Teams ins benachbarte Ausland.

Es war mal wieder einer der Zufälle im Leben des Ralf Wünsch, dass einer seiner Führungskräfte einen Termin mit einer Führungskraft der LR-International in Ahlen vereinbarte. Peter Kowallik hatte von Wünschs Erfolgen mit Fitline gehört und versuchte ihn bei diesem Termin tatsächlich abzuwerben. Wünsch: „Der kam in mein Büro und machte mir unverblümt ein Angebot, mit meinem Team zur LR zu wechseln." Wünsch fand das amüsant und erstaunlich zugleich, denn ihn als Gold-President mit dynamischem Wachstum zum Wechseln zu bewegen, schien ihm ziemlich dreist. Sehr schnell erkannte er, dass der Abwerber selbst nicht unbedingt zufrieden war bei LR. Also drehte er den Spieß um und überzeugte Kowallik, in sein Team zu wechseln. Trotz großer Startprobleme und seiner nicht immer gradlinigen Arbeitsweise war Kowallik dank der Akquise einiger unzufriedener Führungskräfte von Mitbewerbern für Wünsch ein Gewinn – Wünsch hatte die Erfahrung und mit seinem Ausbildungskonzept die richtigen Argumente. Die Organisation Kowallik entwickelte sich somit positiv bis hin ins benachbarte Ausland, nämlich nach Holland und Dänemark.

Expansion nach Holland und Dänemark

Es dauerte nicht sehr lange und Ralf Wünsch organisierte eine erste Akademie in Holland und Dänemark, was für weiteres dynamisches Wachstum sorgte. Auch in Deutschland wurden weitere Regionen erschlossen, vom Münsterland bis nach Hamburg, von Kassel bis Wuppertal. Weil auch das Team in Österreich mit Christine Empacher erfolgreich war, sah die Welt in diesem Jahr 2006 schon ziemlich rosig aus für die Fitliner-Familie aus Ahlen. Wünsch: „Unser Team ist dynamisch gewachsen." Mit allen organisatorischen Konsequenzen: In Kassel und in Oldenburg wurden weitere Direct-Sale-Center gegründet und Wünsch war vor allem der Organisator von Veranstaltungen in seinem Verbreitungsgebiet, mit Business-Akademien im Raum Kassel und Oldenburg. Drei Wochenenden im Monat waren immer mit Veranstaltungen belegt, überall wurden Basis-Veranstaltungen und Business-Akademien organisiert, immer koordiniert von Ralf Wünsch, der aus der Erinnerung ein Wochenpensum von 80 bis 100 Arbeitsstunden benennt.

Er war wieder da, wo er als Vertriebschef aufgehört hatte – mit dem Unterschied, dass er jetzt ausschließlich für sein Team unterwegs war und der Erfolg sich schnell in Wachstum und damit Monat für Monat direkt auf seiner Provisionsabrechnung niederschlug. Wünsch: „Nur durch die schnelle Duplikation und Ausbildung meiner Führungskräfte war dies möglich." Vierteljährliche Ausbildungswochenenden, von Freitag bis Sonntag, mit drei verschiedenen parallel veranstalteten Trainingsprogrammen waren eines seiner Erfolgswerkzeuge. Sein Mentor und Sponsor Franz Brandmüller und eine gewisse Heike Wandner waren mit im Trainerteam. Der Umsatz wurde 2006 nahezu verdoppelt, von 480.000 auf 920.000 Euro Ende 2006.

Erstmals die Nummer drei im Unternehmen

Damit war Ralf Wünsch die Nummer drei bei PM – also direkt hinter Carsten Ledulé und Joachim Heberlein, den beiden, die noch zu seiner Zeit als Vertriebsleiter

248

den Champion's League Status der PM International AG erreicht hatten.

Eine offizielle Ehrung gab es im Jahre 2006 nicht. Vielmehr war er wieder Teilnehmer der President-Team-Ehrung in St. Tropez. Rolf Sorg sprach auf Initiative von Carsten Ledulé eine zusätzliche Ehrung für das President's Teams in seinem privaten Haus in Südfrankreich aus. Drei Tage im exklusivem Rahmen im privaten Anwesen des Firmenchefs und seiner Frau Vicki, eine Wertschätzung, die im Unternehmen hoch gehandelt wurde und entsprechend für Motivation auf der höchsten Ebene sorgte.

Eine sogenannte Wiederholungsteilnahme konnte jedes bereits geehrte President's Team im Folgejahr durch eine Umsatzverdopplung erreichen – Wünsch gelang dies von 2004 bis 2008 viermal hintereinander.

Zur Erinnerung: Das Vertriebskonzept der PM International beginnt im „verkürzten" Marketingplan der PM mit der 1. Schlüsselposition Manager (600 Punkte), über die 2. Schlüsselposition des International Marketing Managers (IMM) mit 10.000 Punkten Teamumsatz, zur 3. Schlüsselposition President's Team mit 100.000 Punkten Teamumsatz.

Europatour als Motivationsschub

„IMM wird man aus Begeisterung", erinnert Wünsch, erreichbar mit 20 bis 40 Teampartnern, keine Utopie auch für Anfänger. Wer die IMM-Stufe erreicht hat, darf sich einen PKW aus dem Firmenportfolio aussuchen, darf einsteigen ins PM-Rentenprogramm und ist qualifiziert für die Europa-Tour im September, eine Woche Urlaub auf Firmenkosten im sonnigen Europa. Bis 2013 war das eine Woche im Hotel Bahamas auf Ibiza, in den Jahren danach folgten weitere Destinationen in Griechenland, Spanien, Italien und Kroatien, dies seit 2019.

Das „Kultreise-Incentive" Ibiza war für die steigende Teilnehmerzahl zu klein geworden. Im September 2022 reisten 3.000 Teampartner zur Europatour nach Kroatien.

Die Fitliner in Ibiza, Coco-Beach 2004 bei Jimmy's.

Wünsch schwärmt von diesem IMM-Aufbaukonzept: Jeder, der geschäftliche Ambitionen entwickelt, möchte IMM werden, denn das sei neben der Provision der Einstieg in die „emotionalen" Sonderzuwendungen des PM-Marketingplanes: „Auto, Reise, Rente – eine enorme Motivation für viele Menschen weltweit."

Warum ist das so wichtig?

Wer Teilnehmer der Europatour sei, erlebe einen Urlaub mit Gleichgesinnten im Team – ein Erlebnis, das einmalig sei und bis in die Haarspitzen motiviere. Anschließend stelle sich jeder Teilnehmer nur noch die Frage, wie viele Partner aus seinem Team er im nächstes Jahr dabei haben möchte und könne.

Wünsch nutzte die Europatour fast in Perfektion als Aufbauwerkzeug für stabiles Teamwachstum. Darüber hinaus setzte er vor Ort mit eigenen gut organisierten Teammeetings sowie einem exklusiven Empfang, jahrelang im exklusiven Beach Club „Jimmys Coco Beach" an der Playa d'en Bossa auf Ibiza, neue Maßstäbe hinsichtlich Motivation und Teambuilding, an die sich viele Führungskräfte aus seinem Team noch heute gerne zurück erinnern.

Die Europatour ist der Startschuss ins Weihnachtsgeschäft. Es folgt direkt im Anschluss der Nationale Kongress Ende September, dann das Leadership Meeting und die Weihnachts-Akademie im Dezember. Ebenfalls startet mit dem Monat Dezember der erste Monat zur Qualifikation für die Europatour im Folgejahr – für den Vertrieb ein „einmaliges und klares Konzept", sagt

Ihm verdankt Ralf Wünsch ganz viel: Freund, Sponsor, Mentor und Förderer Franz Brandmüller.

Wünsch, welches direkt in die 3. Schlüsselposition führt: President's Team. Aufgrund der weltweiten Expansion auf verschiedenen Kontinenten finden die President's Team Ehrungen seit 2020 dreimal jährlich statt – für den asiatischen Markt in Dubai, für die Amerikaner in Florida und für die Europäer aus alter Tradition in St. Tropez, zuletzt 2021 mit über 300 Teilnehmern in Südfrankreich.

Champion's League greifbar

Das Fazit zum Ende des Jahres 2006 fiel gigantisch aus, denn mit dem verdoppelten Umsatz war das Ziel Champion's League in greifbare Nähe gerückt. Drei seiner fünf persönlichen Schlüsselpersonen hatten sich bereits in die Vertriebsstufe President's Team qualifiziert und die beiden anderen waren kurz davor – „es fehlte nicht mehr viel." Wünsch sieht als Teil des Erfolgs auch das Sommer-Märchen mit der Fußball-Weltmeisterschaft in Deutschland. „Die Begeisterung sorgte für ein positives Umfeld und ein positives Umfeld ist die Wurzel des Erfolgs."

Wenn nicht jetzt, wann dann

Das Jahr 2007: Bundeskanzlerin Angela Merkel geht in ihr erstes Regierungsjahr und bei der Handball-WM der Männer werden die deutschen Gastgeber zum dritten Mal nach 1938 und 1978 Handballweltmeister, mit dem heutigem Fitline-Markenbotschafter Christian „Blacky" Schwarzer. „Wenn nicht jetzt, wann dann" ist nicht nur der Song dieser WM, es ist auch das Leitmotiv für Ralf Wünsch und sein Team. Das Ziel ist fixiert: Champion's League. „Wenn nicht jetzt, wann dann."

Die Basis war gelegt, die notwendigen fünf Schlüsselpersonen standen fest und der noch fehlende Umsatz wurde durch eine Frühjahr-Promotion gesichert, im März sollte die eine Million Umsatz erreicht werden.

Franz Brandmüller war dabei wieder die wichtigste Hilfe. „Er war mein Mentor", sagt Wünsch in der Erinnerung an seinen 2012 plötzlich verstorbenen Freund und Förderer. Ein Inspirator, ein Ideengeber, ein Visionär – aber kein Macher wie Ralf Wünsch. Genau das sei aber die Grundlage ihres Erfolgsweges gewesen. Ein Inspirator und ein Macher. Das Team funktionierte blendend. Eben weil Brandmüller genau wusste, wann er seinem Schützling die notwendige Hilfe geben musste. Wünsch: „Diese Unterstützung eines Sponsors ist für viele Teampartner eine der wichtigsten Erfolgsgaranten." Hilfe geben, wenn Hilfe gebraucht wird. Wobei Brandmüller nie an der Basis wirken wollte, nie 2:1-Gespräche mit ihm geführt, geschweige denn Wünsch bei einer Homeparty unterstützt hätte. Sein Erfolgsrezept hat er einmal so beschrieben: „Ich suche mir fünf Typen wie Ralf Wünsch."

Wünsch: „Ich brauchte den Franz, wenn ich mal down war, er war dann vor allem Zuhörer, ich konnte mich auch mal auskotzen – Franz fand dann aber immer die richtigen Worte, um mich wieder auf Kurs zu bekommen."

Diese Befähigung eines Sponsors sieht Ralf Wünsch auch heute noch als ganz wichtig an. In seinen Handlungsanleitungen für den Erfolgsweg steht diese Unterstützung mit an oberster Stelle.

Mit Brandmüllers Hilfe war Ende März der Millionen-Umsatz im PM Europa-Team erreicht, es waren sogar 1,2 Millionen. Ralf Wünsch glaubte, am Ziel zu sein: Champion's League, Nummer drei in der Erfolgsgeschichte der PM International. Verewigt im Walk of Fame in Speyer. Welch eine Karriere. Er wäre der erste Teampartner gewesen, der innerhalb von gut drei Jahren in die Elite aufgestiegen konnte.

Der Konjunktiv ist an dieser Stelle wichtig

Freudig erregt ging er Ende März 2007 zum Gespräch mit Rolf Sorg in Speyer, um die Champion's League-Ehrung zu planen. Am Freitag vor dem Weltkongress sollte es die Zeremonie mit der Grundsteinlegung auf dem „Walk of Fame" geben, danach die Laudatio beim Weltkongress.

Doch es kam alles anders: Rolf Sorg sah Wünsch nicht im Ziel. Die Berechnungsgrundlage, die Wünsch für seinen Erfolgsweg angewendet hatte, war nicht die Berechnungsgrundlage von Rolf Sorg. Wünsch fiel aus allen Wolken. „Mich hat das wie ein Hammer getroffen." Das Unternehmen bemängelte, dass Wünsch den Millionen-Umsatz und die notwendigen fünf Presidents im Team zwar erreicht hatte, aber nicht in den ersten sechs Ebenen, die vom Unternehmen als Qualifikationsvolumen vorgeschrieben waren. Das sei blanke Theorie gewesen, argumentiert Wünsch noch heute.

Das Qualifikationsvolumen hatte bei seiner Planung keine Rolle gespielt, da er sich an Carsten Ledulé als 1. Champion's League im Jahre 2002 orientiert hatte, bei dem das Qualifikationsvolumen ebenfalls keine Rolle gespielt hatte.

Seine „Schockstarre" sei aber nur kurz gewesen, zumal er im April „immerhin als Platin-President" ausgezeichnet wurde, vor 5.000 Fitlinern in Karlsruhe. „Eine fantastische Ehrung", erinnert sich Wünsch, bei dem von den 5.000 anwesenden Teampartnern 1.000 aus seinem Team kamen. Gut, dass er denen die anvisierte Kür zur Champion's League vorher nicht verraten hatte. Es sollte eine Überraschung werden. So hielt sich zumindest die Enttäuschung in Grenzen.

Wünsch: „Das war alles gut und schön, aber natürlich kein Ersatz für die Champion's League."

Er selbst wähnte sich am Ziel, andere nicht. Also galt es, den eingeschlagenen Weg weiter zu beschreiten. Die Motivation war da, denn: „Für mich war wichtig, dass ich mein Ziel aus meiner Sicht erreicht hatte, mit fünf President's Teams in erster Linie und sogar 1,2 Millionen Gesamtumsatz." „Ein Missverständnis", so hakte er die Entscheidung von PM ab, die Kriterien seien nicht klar formuliert gewesen.

Der neue Anlauf

Wenn nicht 2007, dann eben 2008 – mit einem neuen Anlauf wurde an den Rahmenbedingungen des Teams gearbeitet, in den Regionen die Zahl der Teampartner gesteigert, das Ausbildungskonzept verfeinert und noch mehr Führungskräfte geschult. Wünsch: „Letztlich war meine Arbeit Ende 2007 einfacher geworden, weil ich die Verantwortung auf viel mehr Schultern verteilen konnte, mit eigenverantwortlichen Führungskräften." Das PM Europa-Team sei immer mehr zum Vorbild für viele andere Organisationen geworden. Der Teamspirit sei grandios gewesen, auch eigene Belohnungssysteme im Team wurden ausgelobt.

Als ein Element wurde eine eigene Weihnachtsfeier – neben der zentralen PM-Weihnachtsfeier – in Ahlen organisiert. Auch hier nutzte Wünsch die Weihnachtsfeier des PM-Europa-Teams mit entsprechenden Special-Guests: unter anderem dem Extremsportler Achim Heukemes und natürlich dem Nikolaus, der für jeden

Texte Nikolaus PM Weihnachtsfeier 16.12.2006

Begrüßung –Lob an Alle für die tollen Leistungen 2006! Knecht Ruprecht, ich glaube es gibt wenig Arbeit für Dich heute. Lasst mich einmal in meinem goldenen Buch nachsehen, damit ich auch ja niemanden vergesse: Als erstes stehen hier unsere Ehrengäste:

Tisch 6:
Achim Heukemes, Dagmar Grossheim, Peter & Monika Kliwer, Dietmar & Ursula Kellmann Markus & Kamelia Keine, Franz & Kim Brandmüller

Achim & Dagmar :
Ihr beide seid ein starkes Team! Ihr seid der lebende Beweis dafür, was Menschen mit der richtigen Einstellung und Disziplin und Focusierung leisten können! Auch im nächsten Jahr habt Ihr Euch wieder viel vorgenommen! Viel Erfolg bei Euren Projekten in Frankreich und den USA und vielen Dank für eure tollen Vorträge, weiter so!

Peter & Monika sowie Ursula & Dietmar!
Das Jahr 2006 hat für viel Veränderung in Eurem Leben verursacht! Alte „Zöpfe" habt Ihr abgeschnitten, viel gelernt und zukunftsorientierte Entscheidungen getroffen. Ich bin mir sicher, 2007 wird Euer Jahr! Ruprecht, einen Schlag für jeden, damit die Entscheidung richtig sitzt!

Markus & Kamelia
Ihr beide seid von PM Intern aus Luxemburg und für her unsere Gäste. Wie ich höre leistet Ihr fantastische Arbeit dort und besonders beim Weltkongress habt Ihr Euch r der Organisation selber übertroffen. Ich hoffe, unsere kleine BA heute hat Euch gefallen (jetzt ja nichts falsch sagen, Markus)! Bleibt beide gesund und unterstützt u weiterhin – vielleicht können wir von Euerem KNOW H in 2007 noch mehr profitieren! ?

Tisch 2
Jörg & Marion Wünsch, Astrid & Bernd Seiler, Gitti Ulbrich, Horst Bienert, Vera Igelbrink, Fredy Stuber, Barbara & Peter Fröse

Jörg, Marion, Astrid, Bernd, Gitti
Ihr habt in 2006 viel im Hintergrund gearbeitet und uns tatkräftig bei unseren tollen Events, Busfahrten, BA und Bürotätigkeiten geholfen! Ihr habt bravourös den Busservice und alle Seminarvorbereitungen geleistet! Auch Astrid und Gitti sind immer mit vollem Einsatz dabei! Im neuen Jahr habt Ihr einen neuen Arbeitsplatz im DSC Ahlen, freut Euch, dann sitzt Ralf nicht mehr so direkt im Nacken! Hier gibt es nichts zu tun für Dich, Ruprecht! Vielen Dank!

Fredy, Barbara, Peter und Vera!
Das Fitness Team – nach 5 Jahren „Einarbeitung" habt Ihr In 2006 die FitLine - Handbremse gelöst und seid voll durchgestartet! Super, was Ihr neben Euren anderen Verpflichtungen alles geleistet habt!
Ich bin sehr gespannt was Ihr in 2007 alles bewegen werdet, das Ihr es könnt, habt Ihr bewiesen, also weiter so! Ruprecht, einen Schlag, damit es in 2007 so weiter geht!

Tisch 3
Peter Kowalllik, Angèle & Erik S..., ... & Sabine van Santvoord,
Das Team Holla... ...Elke & Ralf Gedenk, Alexander Gedenk (Kind), Gaby & Andy
richtig das geg... Pernerstorfer, Heike & Dörthe Wandner, Eva Bogatsch, Silvia
und habt noch... Bollerhey.
Ihr wollt gemei... Team Kassel I – ja Ihr habt richtig gehört – Ihr habt gute Arbeit
stimmt das?!... geleistet und am Nachbartisch bereits ein 2 Team!
Ruprecht, da w... Elke & Ralf: Ihr habt mit Silvia einen „Neuling" mit dabei – im letzten
nur Sprüche si... Moment !MM, schön dass Du da bist, Silvia – herzlichen
zumal Ihr Bärb... Glückwunsch! Mit Eva haben wir eine neue Party – Eva für IBIZA
habt! Vielleich... (letztes Jahr war es Party Steffi). Was habe ich gehört, als
fahren und no... Ernährungsexpertin sind Du im Murphy's eine 2 x so große
alle, damit sic... (schwere) Engländerin im Wettsaufen geschlagen – gut das Jens
...heute hier nicht hier ist und das hört! Dies scheint Dich zu
motivieren, da Du auf dem Weg zum VP im Dezember bist – also
auf geht´s! Ruprecht einen Schlag nur für Eva – damit Sie nicht nur
Party macht und Ihr Ziel schafft!
Gaby & Andy, Euch vielen Dank für den tollen Service – ich habe
gehört, 2006 war für Euch ein Jahr mit viel Veränderung, ein großes
Lob an Euch für diese Entscheidung – weiter so!
Heike und Dörte, vom Osten in den Westen „geflüchtet" und
trotzdem bei fast jeder BA mit dabei, Fast, Heike, wo warst Du beim
letzten Mal in Ahlen – Spaß bei Seite, vielen Dank für Deinen tollen
Einsatz bei den BA´s und bei allen 4 Sales Manager Trainings –
vorbildlich, deshalb als Dankeschön zusätzlich für Dich eine GOLD
CARD unseres Teams!

Tisch 8
Anja Range-Löffert, Ralf Hartmann, Jan Hendrik, Ralph Rühling, Petra Weckmüller, Michael Homburg, Anja Günther.

Team Kassel II, Anja & Ralf, bedeutet hier Umsatz Verdreifachung! Herzlichen Glückwunsch Euch allen und besonders Anja, die mit Ihrer 1000% Entscheidung (Anja hauptberuflich PM mit 20 Jahren Bank) Mut bewiesen hatte und jetzt dafür belohnt wird! Schnelle Entscheidungen sind Bei Euch im Team an der Tagesordnung! Herzlichen Glückwunsch Ralph, DU hast als erster im TEAM Kassel eine Mitgliedskarte bestellt und gleich die GOLD CARD! Petra wird immer selbstbewusster, habe ich gehört und Anja & Michael sind auf gutem Wege. Macht weiter so, 2007 wird auch Euer Jahr!
Ende – Schlussworte vom Nikolaus!

Franz und Kim:
Wie ich sehe Franz hast Du Dich auch innerhalb Deiner Familie duplizierst! Kim, pass immer gut auf was der Papa sagt, dann wirst Du es weit bringen!
Vielen Dank Franz für Deine Unterstützung in 2006 und Vielen Dank, dass Ihr Beide heute unsere Gäste seid, – Ihr hattet den weitesten Weg! Franz, pass auf Dich auf, Bewegung und weniger Rauchen soll gut für die Gesundheit sein habe ich gehört – wir brauchen Dich noch lange – Ruprecht, einen Schlag für Franz, dass er sich nicht selber vergisst bei all der Arbeit!

Tisch 1
Bärbel Rind, Uschi Horst, Anette & Jürgen Helbig, Silvia & Herbert Feyka, Hinrikus & Herta Gröpel
Ihr seid wieder besonders fleißig gewesen und veranstaltet sogar Eure eigenen BA`s im Norden! Den Veranstaltungskalender 2007 habt Ihr super organisiert!
Auch auf der Insel Borkum seid Ihr mit Herta &Hinrikus Dank Silvia & Herbert stark vertreten – weiter so!
Bärbel & Uschi haben sich für 2007 viel vorgenommen, habe ich gehört, Ihr geht mehr an die Front als Sprecher, super, packt es an, dann wachst Ihr weiter!
Anette & Jürgen hatten in 2006 keine Probleme mit der Arbeit, Ihr seid stabil mit kontinuierlichem Wachstum! nur bei Euren privaten Unternehmungen solltet Ihr besser auf Euch aufpassen– was lese ich, Ihr kommt aus Euren Urlauben krank zurück, habt bei Kurzurlauben Unfälle, was macht Ihr bloß!? Habt Ihr etwa Urlaubstress oder nur die FitLine Produkte zuhause vergessen? Ansonsten vorbildlich und ein besonderer Dank für Euren Schulungseinsatz bei den Kosmetika Akademien in Werl, die Ihr auch in 2007 wieder fleißig für uns durchführen werdet! Ruprecht, hier gibt es nichts für Dich zu tun!

Tisch 4
Dirk Lorenz & Janet Creutz, Guido & Lolita Schmitz, René Plewka, Uwe Kloss & Heike Frömbken, Hildegard Specht
Unser Innovationsteam – Ihr seid dabei die ONLINE Präsentation zu perfektionieren und habt bereits viel Erfolg damit gehabt – ein besonderer Dank hierfür Die Guido und pass auf den René gut auf, damit der nach seiner super Leistung (in 10 Wochen VP) weiter durchstartet!
Ruprecht 1 Schlag für René!
Hildegard arbeitet auch in Holland – sitzt Du vielleicht am falschen Tisch?! Mach weiter so wie zurzeit und lass Dich nicht mehr runterziehen! Ruprecht 1 Schlag für Hildegard!
Uwe & Heike, unsere technische Unterstützung - Was lese ich hier, ihr seid so im Stress, das Ihr vergesst regelmässig die FitLine Produkte zu nehmen – das muss in 2007 besser werden, dann wird der Stress auch weniger! Trotzdem, vielen Dank für Eure Flexibilität – Ruprecht, einen Schlag!
Dirk und Janet! Was gibt es da zu sagen – Dirk sehen wir ...wird in 2007 besser – ich weiß - es gab viel zu ...habt ihr jetzt auch ein tolles neues Heim – Glückwunsch! Janet hat unglaubliches im ...i (Internetseite und Ausbildungskonzept usw.) ...eam geleistet – Dir gilt ein großes Lob- Vielen ...ich weiter so! Ruprecht, da gibt es nichts zu tun

Tisch 5
...ke Engelmeyer, Ingrid & Erich Sondermann,
...athrin Skuginna, Michael & Natalie Westermann
...mit Ausdauer und Durchhaltevermögen, Ihr habt
...ndes Jahr hinter Euch (Katar und Dubai etc.)
...uen uns, dass Ihr heute hier seid! Zwar fehlt
...nal der Engelmeyer, jedoch bin ich davon
...dass Ihr im nächsten Jahr richtig durchstartet!
...itzt ja auch der Herr Westermann - was habe ich
...hstes Jahr und Du mindestens SP bzw.
...ogar GP, wie Ralf Wünsch!? Deine Euphorie
...hier diesmal 2 Schläge, damit er ja Wort hält!!!

Nikolaus-Reden
als besondere
Wertschätzung
an sein Team.

Teampartner spezielle Worte fand. Geschrieben von Ralf Wünsch und mit viel Wertschätzung und Empathie garniert, aber auch so, dass durchaus eine kleine versteckte Kritik zu interpretieren war, um neue Ziele und Motivation zu erreichen. „Großes Kino", nennt Wünsch die Nikolaus-Auftritte mit den persönlichen Noten.

Auch innovativ: Zwischen den Jahren wurden Ende Dezember, genau in den letzten vier Tagen des Jahres, an allen Standorten Gewichtsabnahme-Meetings organisiert, das waren Ernährungsvorträge mit deutlicher Ausrichtung: abnehmen. Die Befürchtung einiger Partner, dass zwischen Weihnachten und Neujahr die Menschen keine Lust auf Veranstaltungen haben könnten, ließ Wünsch nicht gelten: „Die meisten sind froh, wenn sie nach den üppigen Weihnachtsfeiertagen aus dem Haus kommen." Er sollte Recht behalten. „Die Gewichtsabnahme-Meetings zum Ende des Jahres waren die beste Vorbereitung für das neue Jahr im Januar und im Bereich Ernährungsvortrag die am besten besuchten Veranstaltungen des Jahres." Getreu dem Leitspruch von Achim Heukemes: „Schluss ist, wenn Schluss ist." Ein Rennen ist erst im Ziel zu Ende. Und ein Jahr endet demnach am 31. Dezember und nicht Mitte Dezember nach der Weihnachts-Akademie.

Wieder eine große Enttäuschung

Der Übergang ins Jahr 2008 war fließend, es sollte jedoch ein Jahr mit einer erneut großen Enttäuschung in Wünschs PM-Karriere werden. Nach einem Ski-Urlaub war er motiviert, um das Ziel Champion's League mit neuem Berechnungsmodus zu erreichen. Wünsch setzte eine neue Promotion an, diesmal noch umfassender und detaillierter geplant – diesmal musste es klappen. Sein TOP-Management-Team war hochmotiviert. „Ich war ziemlich gut aufgestellt", bilanziert er die damalige Organisationsstruktur im Team PM-Europa. Nach Absprache mit der PM mussten in den ersten sechs Ebenen (Qualifikationsvolumen) Minimum 800.000 Punkte erreicht werden und natürlich fünf President's Teams, was kein Problem zu sein schien.

Alles war generalstabsmäßig geplant. Beim Führungskräftemeeting mit über 80 TOP-Managementmitgliedern aus seinem PM-Europa-Team zog Franz Brandmüller ein verbales Feuerwerk ab, alle waren motiviert. Beim Fest anlässlich des 15-jährigen Bestehens der PM in der Frankfurter Jahrhunderthalle sollte die Ehrung erfolgen. Wünsch: „Was hätte es Schöneres geben können, als dort vor damals 8.000 Teilnehmern geehrt zu werden."

Mit sieben Bussen sollte es nach Frankfurt gehen, organisiert von Bruder Jörg. Jeder im Team mit 1.000 Punkten Eigenumsatz wurde von Wünsch zu der regional geplanten CL-Party eingeladen. Die Promotion war wieder auf dem alten Slogan aufgebaut: „Wenn nicht jetzt, wann dann."

1,5 Millionen Umsatz standen Ende März in der Bilanz. Die eigene Zielvorgabe also weit übertroffen. Gut 30.000 Euro hatte Wünsch aus der eigenen Tasche in die bevorstehende Party und das Ehrungsprogramm investiert: Kugelschreiber, Buttons, alle mit „Champion's League Team Ralf Wünsch 2008" beschriftet, das volle Programm.

Das einzige Problem schien zunächst keines zu sein. Das von PM geforderte Qualifikationsvolumen war am 30. des Monats mehr als erreicht. Was dann am 31. letztendlich alles geschah, möchte Wünsch nicht im Detail benennen, weil es viel PM-Arithmetik betreffe, die nur schwer zu verstehen sei. Nur so viel, wieder einmal hatte er sich auf diverse Vereinbarungen verlassen und es trat das ein, womit er kurz vor der Ziellinie nicht mehr gerechnet hatte. In der letzten Minute des Monats rutschte sein Qualifikationsvolumen unter das von PM geforderte Volumen – der Traum war zerplatzt – die gesamte Vorbereitung und der gemeinsame Kampf im Team quasi umsonst.

Wünsch: „Es war die schlimmste Enttäuschung in meiner bis dato so erfolgreichen PM-Karriere." Weil er diesmal alle Vorgaben eingehalten hatte, weil diesmal alle eingeweiht waren, weil diesmal die große Party starten sollte – und weil am Ende aller Mühen und Investitionen eine für ihn und seinem Team große Blamage standen.

Wünsch war erstmals in seiner Zeit bei PM am Boden zerstört. Zum zweiten Mal wurde sein Traum zum Albtraum. Zunächst war nur Dienst nach Vorschrift angesagt.

Der Fuß vom Gaspedal

Seine Maschine lief nur noch im ersten Gang, es reichte, um die Organisation am Leben zu erhalten. „Mir ging es nicht gut." Sagt er heute. Zumal er beim Festakt in Frankfurt noch auf die Bühne musste, um das Unternehmen zu loben. Zwei, drei Monate war Ernüchterung angesagt, was einen Nebeneffekt hatte: Wünsch kam zurück ins normale Leben. Fußball-Europameisterschaft in Österreich und der Schweiz: Wünsch machte das, was er gerne macht: Fußball mit Freunden schauen und grillen. Eine Passion, die er sich bis heute erhalten hat. Seine Freunde in Dubai werden regelmäßig eingeladen, wenn Bundesliga oder Champion's League Spiele anstehen. Grillen, bewirten, mitfiebern, philosophieren und Spaß haben – so ähnlich war das im Sommer 2008.

Am Ende des Jahres war er zwar fast wieder auf Kurs, aber für PM begannen zwei schwierige Jahre. Die Weltwirtschaftskrise und aufkommende Konkurrenz bremsten das Wachstum zum ersten Mal, was für alle im Unternehmen eine neue Situation war. Wünsch: „Das Jahr 2009 war geschäftlich zum Vergessen." Auch privat veränderte sich bei der Familie Wünsch einiges, denn in diesem Jahr trennte er sich von seiner Frau Ulrike.

Ralf hatte schon 2004 eine Teampartnerin namens Heike Wandner auf Ibiza kennengelernt, die er fortan auch förderte, obwohl sie nicht in seinem Team war. Umgekehrt war Heike eine sehr gute Referentin im Produktbereich. „Niemand konnte das Fitline-Konzept besser erklären als Heike", sagt Wünsch. Eine Meisterin, eine exzellente Sprecherin, die fortan auch im Team Europa als Trainerin aktiv war. „Es war eine Win-Win-Situation für uns beide". Auch Heikes Tochter Dörte war fortan mit im Boot. Doch irgendwann wurde aus der guten Zusammenarbeit mehr und aus der Zusammenarbeit eine Beziehung, im Dezember 2010 wurde aus Heike Wandner Heike Wünsch. Doch vorher passierten noch einige entscheidende Dinge bei PM.

Ein Mitbewerber für PM

Anfang 2010 trat plötzlich sichtbar ein neuer Mitbewerber auf den Markt. Helmut Spikker, Widersacher von Rolf Sorg in den neunziger Jahren als Inhaber der LR International aus Ahlen, hatte die LR sehr gut für einen dreistelligen Millionenbetrag im Jahr 2005 verkauft. Spikker wollte es noch einmal wissen. Mit einem neuen Unternehmen der Network-Marketing Association (NWA) wollte er als sogenannter „Godfather des Network Marketing" alle erfolgreichen Produktlinien

Meeting in Lappland.

aus Schmuck, Parfum & Kosmetik und Nahrungser-
gänzung auf einmal vertreiben und dafür die erfolg-
reichsten Führungskräfte aus den entsprechenden Net-
work-Marketing-Unternehmungen abwerben. Dieser
„Abwerbeangriff" war auch und vor allem gegen die
PM International und deren Führungskräfte gerichtet.
Wieder einmal scheiterte Spikker insbesondere an Rolf
Sorg, der die PM gekonnt aus dieser Krise führte.

Einerseits schaffte es Sorg, seine Führungskräfte
rechtzeitig auf die Abwerbeversuche vorzubereiten,
indem er separat zu einem TOP-10-Meeting in Lappland und anschließend zu einem TOP-25-Meeting in
Berlin einlud. Andererseits lernten Sorg und die PM
viel in dieser Zeit über Markenrechte und sogenannte Health Claimes, was in der Historie bis heute ein
wichtiger Meilenstein ist. Wieder einmal war die PM

gestärkt und besser gerüstet aus dieser Krise hervorgegangen – diesmal sogar als großer Gewinner mit einem reichhaltigeren Erfahrungsschatz ausgestattet.

Wünsch war in Finnland, genauer in Lappland, 200 km vom Polarkreis entfernt, beim TOP-10-Treffen im März 2010 zu einer Audi-Challenge mit dabei. Die Crew schwor sich ein, Sorg zeigte sich dankbar und initiierte unter anderem zwei wichtige Geschenke: Verdoppelung des Auto-Bonus und – sofern alle Kriterien in der jeweiligen Vertriebsstufe (im Fachjargon 5-er Basis genannt) erfüllt waren – sollte das Qualifikationsvolumen (Umsatz in den ersten sechs Ebenen) keine Rolle mehr spielen. Eine praxisbezogene Veränderung der Kriterien – was für Ralf Wünsch einen wunderbaren Nebeneffekt hatte: Durch diese Entscheidung war die Champion's League wieder greifbar. Entsprechend groß war seine Freude bei der Rückreise aus dem Eis. Übrigens: Der Slogan „We are PM" wurde in dieser Zeit kreiert.

Zurück in der Heimat begannen die Planungen für den Endspurt des Erreichens der Champion's League, wie auch die Vorbereitung der Feierlichkeiten. Walk of Fame in Speyer, Weltkongress in Karlsruhe.

Vicki Sorg, Joachim Heberlein,
Ralf Wünsch, Casten Ledulé
und Rolf Sorg beim
Walk of Fame in Speyer.

KAPITEL ACHT

ENDLICH CHAMPION'S LEAGUE

269

Es geht los: Walk of Fame

Durch die von Rolf Sorg veranlasste praxisbezogene Anpassung des Marketingplanes war das Traumziel im März 2010 erreicht: Alle Rahmendaten für das Erreichen der Champion's League stimmten jetzt. Gemeinsam mit der neuen Partnerin Heike wurden die Feierlichkeiten am Rhein geplant. Bruder Jörg ließ sich noch einmal überreden und warf sein gesamtes Organisationstalent in die Waagschale. Mit drei Bussen und vielen PKW's waren es über 340 Teampartner, die sich bereits am Freitag, den 16. April 2010 auf den Weg nach Speyer zum PM-Firmensitz machten. Es war der Freitag vor dem Weltkongress, der für den Sonnabend in Karlsruhe angesetzt war.

11 Uhr am Vormittag: Selbst die Sonne schien sich zu freuen, als sich das Wünsch-Team und die Führungskräfte der PM vor der Unternehmenszentrale versammelten. Der Walk of Fame war noch ein Fragment, denn schließlich gab es bis dahin nur zwei Champion's League-Mitglieder: Joachim Heberlein und Carsten Ledulé, die dabei waren, als Rolf Sorg die Laudatio auf seinen ehemaligen Vertriebschef hielt. Eine kurze Rede, deren Wert vor allem in der Bedeutung des

Augenblicks lag: Ralf Wünsch hatte endlich sein Ziel erreicht, sechs Jahre nachdem er als Vertriebschef den Aufstieg der Teampartner Ledulé und Heberlein aus nächster Nähe begleitet hatte, war er nun selbst an der Reihe. Nummer 3 in der Riege der Erfolgreichen. Rolf Sorgs Worte hatten die von allen erwartete Wirkung: Ralf Wünsch weinte wieder einmal. Wer so nah am Wasser gebaut ist, dem reichen schon ein paar Sätze bei so einem Event, um den Freudentränen freien Lauf zu lassen. Als der Stein im Boden vor dem Firmensitz enthüllt war, war die Schar der Gratulanten groß. Dass Joachim Heberlein und vor allem Carsten Ledulé gratulierten, rechnete Wünsch den beiden hoch an, schließlich war er jetzt „Kollege" und ein Mitkonkurrent im PM-Ranking. „Ein hochemotionaler Moment für mich, einer der Höhepunkte in meinem Geschäftsleben", bilanziert Wünsch diesen 16. April im pfälzischen Speyer, dem Ort, an dem er Ende 2003 die Festanstellung freiwillig beendete, um als Teampartner Karriere zu machen.

Nach einem Champagner-Umtrunk und einem Imbiss machten sich die Wünsch-Gäste auf den Weg nach Karlsruhe, er selbst nahm mit seinen Führungskräften pflichtbewusst noch am traditionellen TOP-Management Meeting der PM vor dem Weltkongress teil. Dass

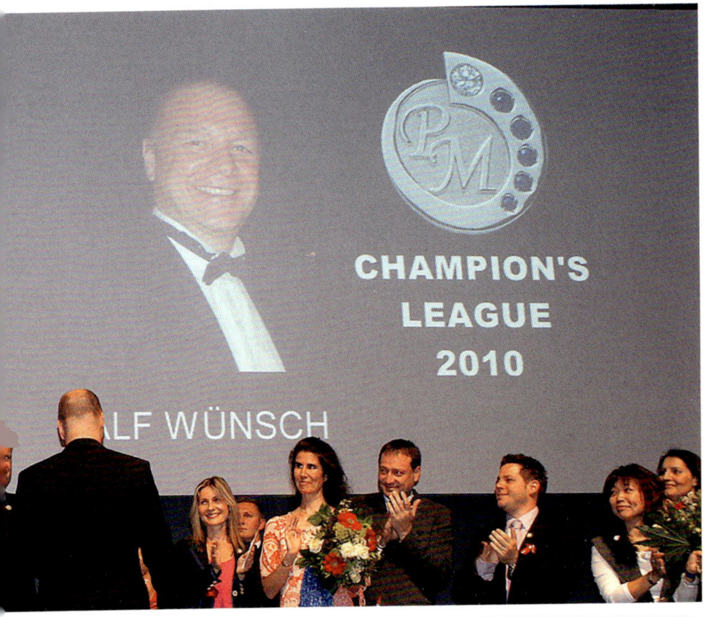
PM
CHAMPION'S
LEAGUE
2010
ALF WÜNSCH

ir sind
we are
PM

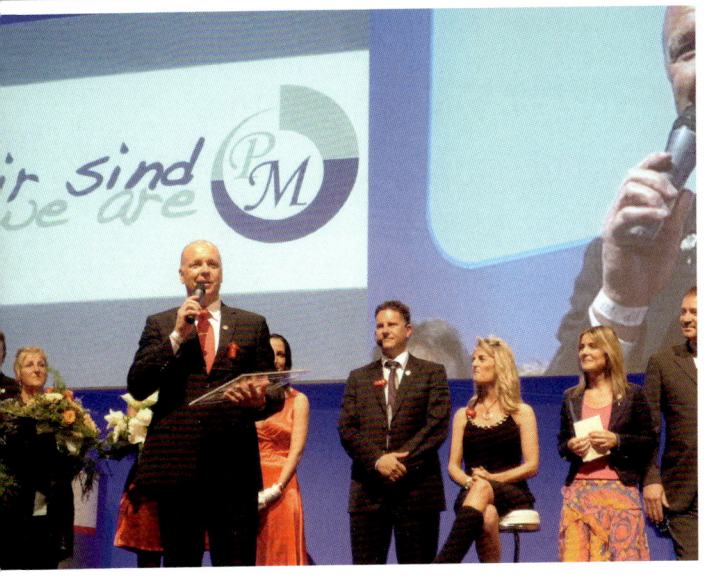

er nahezu schwebend den Raum betreten hatte, sei am Rande vermerkt.

Am Abend gab es die entsprechende Party: Wünsch hatte seine ganze Truppe im Renaissance-Hotel in Karlsruhe einquartiert und für den Abend den Saal gemietet. Aus der Heimat hatte er die Band des Abends verpflichtet: „Sticks & Stones", ein schöner Deal mit Vertriebschef Patrick Bacher, der die Band am nächsten Tag auch beim Weltkongress unter Vertrag hatte und zwei Drittel der Gage übernahm. Ausgelassen feiern, sich feiern lassen und mit gespannter Erwartung dem nächsten Tag entgegenfiebern – das war die Ausgangslage an diesem Party-Abend, an dem viele Führungskräfte dem Star des Abends ihre Referenz erwiesen. Es war angerichtet für den 17. April, dem Weltkongress mit der offiziellen Ehrung.

Noch eine andere Ehrung

3.000 Menschen im Saal. Das Unternehmen im Aufwind und ein weiterer Champion's League-Aufsteiger – es sollte ein Tag ganz im Sinne von Ralf Wünsch werden. Die Party hatte er am Vorabend vorsorglich nicht im obersten Spaß-Level absolviert, er musste schließlich für den größten Tag seines Lebens fit sein.

Das war er auch, jedenfalls zu Beginn der Feierlichkeiten. Ralf Wünsch ganz oben. Auch die Familie war dabei, Bruder Jörg und Ex-Frau Ulrike, was ihr Ralf Wünsch immer noch besonders hoch anrechnet. Die

Trennung sei absolut fair verlaufen. Dass Ulrike wenig später als Schwägerin wieder in seinem Leben auftauchen wird, war zu diesem Zeitpunkt noch nicht zu erahnen.

Nun also wieder eine Laudatio von Rolf Sorg: Wieder feuchte Augen. Zumal der gesamt Festakt auf der Bühne jahrelang geplant war: Beim Joggen hatte sich Ralf Wünsch jahrelang ausgemalt, wie seine Jubelfeier eines Tages einmal ablaufen sollte. Neben der Laudatio die Musik seiner Lieblingsband Genesis. Dazu der obligatorische Kurzfilm über seinen Werdegang und ein Konfetti-Feuerwerk, das üblicherweise auch den Siegern des Champion's League-Endspiels im Fußball gebührt. Mindestens in dieser Fallhöhe hat sich Ralf Wünsch bewegt. Es war seine Bühne. Es fehlte nur noch das Öffnen der großen Magnum-Champagnerflasche, als plötzlich von der Seite Unruhe aufkam.

„Stopp." Irgendwie winkten alle und Wünsch stand wie angenagelt mit der Champagnerflasche auf der Bühne, als Carsten Ledulé das Podium betrat. Noch eine Ehrung. Eine Steigerung. Silver Champion's League für seinen Mitstreiter, der ihm am Tag vorher noch gratuliert hatte und mit dem er zwar keine offene Feindschaft hatte, aber eben auch keine Freundschaft.

Die Überraschung dieser weiteren Ehrung war für Ralf Wünsch gefühlt eine Entäuschung. Kurz vor dem Höhepunkt war seine Show vorbei. So hat er das empfunden. „Normalerweise hätte ich gehen müssen", sagt er heute. Doch mit dem Blick von der Bühne in die Gesichter seiner Teampartner machte sich spontan die gelernte Tugend breit: Haltung bewahren. Gute Miene zum „bösen Spiel" machen.

Gemischte Gefühle beim Champagner.

Der Umzug in die Schweiz

Es war ein Jahr mit einem großen Umbruch für Ralf Wünsch, denn er verließ seine Heimat – für immer. Statt Ahlen jetzt Bottighofen, ein kleiner Ort in der Schweiz, gut 2.000 Einwohner im Bezirk Kreuzlingen des Kantons Thurgau. Eigentlich muss den niemand kennen. Doch wer einmal in Bottighofen war, wird verstehen, warum dieses Dorf so begehrt ist: Der direkte Blick auf den Bodensee ist unbezahlbar, der Yachthafen ein Anziehungspunkt für alle Wassersportfreunde und die Schweiz als Wohnort für Gutverdienende nicht zu verachten.

Es war jedoch kein Abschied vom Team in Deutschland. Heike und Ralf organisierten auch vom Wohnort Schweiz die Destinationen in Deutschland und förderten sie weiterhin vor Ort. Monatliche Business-Akademien in Bielefeld und Hannover bis Ende 2017, Ausbildungswochenenden am Bodensee und am Firmensitz in Speyer – das volle Programm wurde weitergefahren, gepaart mit den Mechanismen der täglichen Arbeitsmethode, die beide weiterhin im Repertoire hatten.

Das Wachstum ruhte aber mittlerweile auf einer weiteren Säule, in einem gemeinsamen Team von Heike und Ralf Wünsch. Heike selber wurde im August 2010 Silver-President, parallel dazu Tochter Dörte President. „Fitline war unser Leben, unsere gemeinsame Berufung", erinnert sich Ralf Wünsch an die Anfänge der gemeinsamen Arbeit. Tag und Nacht habe PM und

Fitline die beherrschende Rolle in ihrem Leben und in ihrer Beziehung gespielt. Angetrieben von neuen Zielen und unterstützt von vielen Erfahrungen war das Team auf dem Erfolgsweg, obwohl es aus dem „alten" Team auch Abnutzungserscheinungen gab. Immerhin sind heute aber noch viele Führungskräfte von damals auch weiterhin Führungskräfte im PM Europa-Team.

„Wir führten ein angenehmes Leben", sagt Ralf Wünsch über die Zeit bis 2014. Eine Zeit der Konsolidierung und der Expansion gleichermaßen. Eine Zeit des Umbruchs und einem neuen Lebensgefühl mit einer neuen Partnerin im neuen Umfeld. Die Schweiz als Lebensmittelpunkt – eine Faszination, die Ralf Wünsch bis heute nicht losgelassen hat.

Trotz allem.

Interview mit…
…Joachim Heberlein

„WIR LEBEN BEGEISTERUNG VOR

Joachim Heberlein, 1965 in Bayern geboren, ist seit Jahren die Nummer eins bei PM International. Im Sommer 2018 erreichte er als erster und bislang einziger Vertriebspartner die Platin Champion's League. Joachim Heberlein lebt in der Schweiz und in den Vereinigten Arabischen Emiraten in Dubai.

Herr Heberlein, was muss man haben, um so lange die Nummer eins bei PM zu sein und sie immer wieder zu bestätigen?

Ich muss von meiner Sache überzeugt und begeistert sein. Nur so kann ich auch andere Menschen erreichen. Ich muss Spaß bei der Arbeit haben und das lieben, was ich mache. Wer das nur wegen des Geldes macht, bekommt Probleme und wird nie den großen Erfolg und vor allem die große Befriedigung bekommen. In unserem Team „Leadership by Heart" leben wir diese Begeisterung vor. Das herzliche Führen von Partnern und die Freude etwas zu geben, ohne etwas zu erwarten, zeichnet unser Team aus.

Sie kennen Ralf Wünsch seit dessen Einstieg bei PM als Vertriebschef. Wie haben Sie ihn damals erlebt?

Der war schon immer sehr zielstrebig und vor allem sehr verlässlich als Vertriebsleiter. Er ist ein Organisationstalent vor dem Herrn und war immer bestrebt, alles gut und vor allem schnell umzusetzen. Als Vertriebsleiter war er sehr gut.

Er selbst gesteht ein, dass er damals im Vertrieb nicht immer die richtigen Worte gefunden habe, können Sie das bestätigen?

In seiner Zeit als Vertriebsleiter hatte ich nie irgendwelche Probleme mit ihm, Ralf musste immer die Schecks für die Teampartner unterschreiben, vor allem auch meinen. Ich glaube, dass meine Arbeitsweise ihn bestärkt hat – ich war auch der erste, dem er anvertraut hat, dass er in den Außendienst gehen will, was einige überrascht hatte. Für einen erfolgreichen Vertriebsleiter ist das aber ein logischer Schritt.

Hatten Sie damals geahnt, dass er einmal unter die Top Five kommen werde?

Klar, er war total zielstrebig und hätte die Karriere gar nicht erst begonnen, wenn er nicht an die Spitze hätte kommen wollen.

In der Biografie lobt er Joachim Heberlein immer wieder, auch weil der ihm zu Beginn seiner Selbstständigkeit als Special Guest bei den Business Akademien geholfen hat?

Ich habe das für viele gemacht, weil ich schon immer daran geglaubt habe, dass wir miteinander mehr erreichen können. Die Saurier unter uns, die alles alleine gemacht haben oder machen, sind mittlerweile fast ausgestorben. Ich habe mit Ralf über lange Jahre gut zusammengearbeitet. Er hatte schnell eine gute Struktur aufgebaut, die andere Teampartner als Vorbild übernommen haben.

Haben Sie dann im Jahre 2010 Ralf Wünsch als Konkurrenten um die Nummer eins wahrgenommen?

Nein, ich glaube, er wollte nie ernsthaft die Nummer eins werden. Er wusste ja, wie ich drauf bin. Den Carsten wollte er immer schlagen, aber mich nicht, auch wenn er das anders darstellt...

...nein, das macht er nicht. In der Biografie sagt er deutlich, dass er nie die Nummer eins werden wollte.

Das ist schön, es stimmt ja auch.

Erlauben Sie uns einen Zeitensprung: Als Ralf Wünsch 2018 mit der Silver Champion's League ausgezeichnet wurde, kam bei ihm ein Break. Er wollte kürzertreten, das Leben wieder mehr genießen. Hatten Sie ähnliche Ideen?

Ja, das habe ich auch gemacht. In Anführungszeichen bin ich „kürzer getreten", was andere aber immer noch als Vollgas werten. Das ist so, wer drei, vier Jahre auf Vollgas fährt, braucht auch mal eine kleine Auszeit, also nur noch das ganz normale Geschäft machen, wie es jeder Festangestellte auch macht.

Die Pandemie hat auch die Arbeit bei PM International verändert, alles musste online geschehen, was bekanntlich gut funktioniert hat. Aber jetzt: Sind Business Akademien und Leadership-Veranstaltungen noch zeitgemäß?

Absolut. Das ist wie beim Sex: Zuschauen oder selber machen. Oder nehmen wir den Sport: Zum Fußball ins Stadion oder zum Basketball in die Halle gehen, ist doch etwas anderes als die Spiele am Fernseher zu sehen. Am Fernseher mögen die Bilder besser sein, aber das Feeling bekomme ich doch nur live in der Halle oder im Stadion. Für uns ist das gemeinsame Erleben der absolute Klebstoff.

Also sind jetzt die Online-Veranstaltungen nur Zugabe?

Nein, die Online-Veranstaltungen machen uns die Arbeit leichter. Wir können die Menschen erst einmal besser erreichen und Gespräche führen. Wobei wir, wenn wir ehrlich sind, auch sagen müssen, dass die wenigsten Teampartner so richtig gute 1:1-Gespräche führen können. 97 Prozent unserer Teampartner sind in der ersten Stufe als Manager, das sind Selbstbesteller mit Rabatt. Die restlichen drei Prozent wollen mehr, sie bestimmen unser Unternehmen. In der Corona-Zeit feierten wir Geburtstag alleine, jetzt wieder mit Freunden. Das ist der Unterschied und so ist es auch bei PM. Das Gemeinschaftsgefühl ist ganz wichtig. Die meisten unserer Teampartner sind aus großer Überzeugung an Bord, die wenigsten machen das wegen des Geldes, aber die finden keine Zufriedenheit und keinen Kick.

Heißt das: Die Erfüllung kommt durch den Job und das Geld ist eine wunderbare Zugabe?

Ja, so lässt sich das sagen. Ich verwende gegenüber meinen Teampartnern so gut wie nie die Wörter Business oder Geschäft. Darf ich fragen, welches Handy Sie nutzen?

Schon immer ein IPhone.
Und haben Sie sich vor dem Kauf Ihres letzten IPhones die Testergebnisse zeigen und sich beraten lassen?

Nein.
Sehen Sie, so ist das auch bei uns. Unser Einkommen ist der Spiegel von zufriedenen Kunden, die nachkaufen. Wir haben immer mehr Ärzte, wir haben immer mehr Medikamente, aber wir haben auch immer mehr kranke und übergewichtige Menschen. Da müssen wir ansetzen. Wir verschaffen den Menschen Gesundheit und Wohlbefinden.

Wie lässt sich die Organisation der jahrelangen Nummer eins in Zahlen fassen?
Ich habe rund 300 Presidenten und höher platzierte Teampartner, die mitunter nach Lösungen fragen, die sie von mir bekommen.

Hat ein Joachim Heberlein aber auch noch Kontakte an die Basis? Führen Sie noch 1:1-Gespräche mit Menschen, die Fitline noch nicht kennen?
Ja klar, fast jeden Tag. Ich komme gerade aus Kuba, da hatte ich am letzten Abend ein wunderbares Gespräch

mit dem Hotel-Direktor, dem ich nach meiner Rückkehr sofort Informationen geschickt habe. Oder der nette Steward im Flieger, der mitbekommen hat, wie ich mir einen Fitline-Drink angerührt habe. Wir kamen ins Gespräch und am Ende hatte er alle Informationen, für die er sich dann bedankt hat. Das passiert mir oft, ich komme gerne mit Menschen ins Gespräch und dann erzähle ich denen von unseren tollen Produkten. Die meisten sind anschließend begeistert und bedanken sich.

Jetzt erzählen Sie mir doch mal bitte, welche drei Tugenden Ihnen als erstes bei dem Gedanken an Ralf Wünsch einfallen?
Er ist sehr zuverlässig, sehr zielstrebig, sehr konsequent und zudem ein Organisationstalent.

Und was sind die negativen Tugenden?
Er reagiert manchmal dramatisch über. Was vermutlich aus seiner Jugend bedingt ist, denn Emotionen liegen immer in der Vergangenheit begründet, die bei ihm immer wieder hochkommen.

Bitte ergänzen Sie diesen Satz: Ralf Wünsch ist...
....mit seiner Art eine tolle Bereicherung für die Firma, denn wir brauchen verschiedene Typen, um alle zu erreichen.

**FitLine Biathletinnen bei der WM
in Antholz super erfolgreich!**

Herzlichen Glückwunsch der **Doppelweltmeisterin**
im Sprint- und im Verfolgungsrennen
Magdalena Neuner
und **Bronzemedalliengewinnerin**
im 15km Rennen
Martina Glagow (Bild)

Und wir, vom FitLine Team Ahlen waren live dabei!!!
(von rechts: Ralf Wünsch, Ralf Winter, Holger Vetter,
Heinz Korte und im Vordergrund
Bronzmedalliengewinnerin Martina Glagow)

287

Die Jahre 2014 bis 2018

Das angenehme Leben in der Schweiz war ein Leben mit PM & Fitline. Tag und Nacht drehte sich alles um die Produkte, um Teampartner und Seminare. Verbunden mit vielen Autofahren quer durch Deutschland, Österreich und der Schweiz. Bis zu 80.000 Kilometer im Jahr standen in den Jahren bis 2018 meist auf dem Tacho. Das Geschäft lief prima, vor allem aber, weil es bei PM wesentliche Optimierungen im Vertriebskonzept gegeben hatte: Mit der Wiedereinführung des Drei-Monats-Abos wurde ein Turbo gezündet, der PM ein Jahr später erstmals wieder enorme Zugewinne verschaffte. Auch weil sich Rolf Sorg strategisch intensiver um den Weltmarkt kümmern wollte, weswegen er operativ nach Luxemburg umgezogen ist, was wiederum den Vertriebschefs Patrick Bacher und Sven Palla in Deutschland, dem umsatzstärksten PM Land und bis heute „strategisches Flaggschiff" der PM Group, noch mehr Eigenverantwortung brachte.

Außerdem wurde ein so genanntes „DACHL-Meeting" eingeführt. Teilnehmer konnten beziehungsweise können sich bis heute für dieses exklusive Führungskräfte Treffen aus den Ländern Deutschland, Austria, Schweiz und Luxemburg ab der Vertriebsstufe Presiden's Team's als sogenannte „Leader of Excellence" (Vorbilder im Punkto täglicher Arbeitsmethode bei der Gewinnung neuer persönlicher Vertriebspartner) qualifizieren. Das erfolgreiche DACHL-Konzept wurde weltweit dupliziert und gilt ebenfalls als ein vertrieblicher Meilenstein. Eine der wichtigsten Errungenschaften des DACHL-Meetings war die Ausarbeitung und Optimierung der Action Pack Monate (April, August und Dezember) ab dem Jahr 2014. Ein Turbo für Wachstum und Neuqualifikationen, der bis heute hochmotiviert und nachhaltig perfekt vom Vertrieb umgesetzt wird. Heike und Ralf Wünsch waren von 2014 –2019 regelmäßige Teilnehmer der DACHL-Meetings, ausgezeichnet als Leader of Excellence. Mit den Erfahrungen als ehemaliger Vertriebschef mit internem Wissen und den Praxiserfahrungen einer Champion's League konnte Wünsch wertvolle Tipps bei Entscheidungen, unter anderem bei der Zusammenstellung der Action Pack Pakete leisten.

Leader of Excellence – Auszeichnung.
Heike und Ralf Wünsch mit Rolf Sorg 2017.

Wünsch: „Das waren die richtigen Werkzeuge zur richtigen Zeit." Nach seiner Einschätzung sind die Führungskräfte in dieser Zeit enger zusammengerückt. „Wir haben an einem Strang gezogen." Endlich sei das Vertriebskonzept nahezu perfekt gewesen. Auch durch Rolf Sorgs international ausgerichtetes Wirken gab es Umsatzzuwächse in bisher nie gekannter Höhe.

Rückblick: Als PM International 2004 noch bei einem Jahresumsatz von 100 Millionen US-Dollar lag, verkündete Rolf Sorg selbstbewusst, dass das Unternehmen in den nächsten Jahre die eine Milliarde Dollar umsetzen werde. Es war die Vision des Rolf Sorg, der 2017 bereits einen Umsatz von 632 Millionen Dollar vermelden konnte. 2018 beim 25-jährigen Jubiläum waren es 839 Millionen Dollar. Sorg damals beim Jubiläum: „Das Umsatzpotential von Fitline im Premiumsegment weltweit beträgt 36 Milliarden. In den nächsten 20 Jahren wächst die kaufkräftige Gruppe um weitere 60 Prozent, das heiß, wenn wir heute über 36 Milliarden sprechen, werden wir uns in 20 Jahren über 50 Milliarden unterhalten müssen." Seine kühne Prophezeiung: „Die Milliarde Umsatz rollt wie eine große Welle auf uns zu." Schon ein Jahr später war die Prophezeiung Realität.

Bezüglich des Marketingplans sagte der Firmenchef: „So sehe ich jetzt auch schon 1.000 Champion's League-Member bei uns, auch wenn die anderen sich keine 100 vorstellen können, da wir im Moment erst sieben oder acht haben."

Der neue Aufwind

Zu denen Ralf Wünsch gehörte. Der Boom Mitte der 2014er Jahre war im gesamten Unternehmen zu spüren. Wünsch: „Wir hatten den Turbo gezündet." Immer mehr jüngere Teampartner konnten gewonnen werden, was eine deutliche Verjüngung der Führungs- kräfte brachte.

Dörte, Heike Wünschs Tochter, steht als exemplari- sches Beispiel für den Erfolg der Young Generation, sie erreichte in 2010 mit 24 Jahren damals als jüngs- te Teampartnerin überhaupt die Stufe des President's Team. Die Wünsch-Familie galt im Unternehmen als Vorbild und Vorreiter für viele Networker-Familien. „Die Chance, als Familie zusammenzuarbeiten und

Gemeindesaal Bottighofen.

dennoch als Nachwuchs auf eigenen Füßen stehen zu können, gibt es wohl kaum in einem anderen Geschäftsweg", wird Heike Wünsch im Jubiläumsband zum 25-Jährigen der PM zitiert. Die Wünsch-Familie glänzte auch gerne mit neuen kreativen Ideen, wie beispielsweise der Bodensee-Ausbildungswochenenden im Gemeindesaal Bottinghofen inklusive tollem Rahmenprogramm auf dem Bodensee selber.

Champion's League ist nicht genug

„Es war eine wunderbare Zeit", sagt Ralf Wünsch. Seinen 50. Geburtstag feierte er mit über 250 Teampartnern im Rahmen eines PM-Europa-Ausbildungswochenendes am PM-Logistic Center in Speyer im Jahr 2015. Das Team wuchs dynamisch, national und international in den Asien-Pazifik-Raum (Australien und Hongkong), es bildeten sich beispielsweise starke Teams in Italien, Russland und in der Ukraine. Der Turbo lief.

Ralf Wünsch selbst war als Special-Guest ebenfalls weltweit im Einsatz. Hongkong ist ihm beispielsweise in äußerst angenehmer Erinnerung geblieben. „Das Team Hongkong ist grandios und nahezu verrückt auf unsere Fitline-Produkte." Im November 2017 war Wünsch Special-Guest beim Asien Pacific Kongress.

Ralf Wünsch als Special-Guest beim Asien Pacific Kongress in Hongkong.

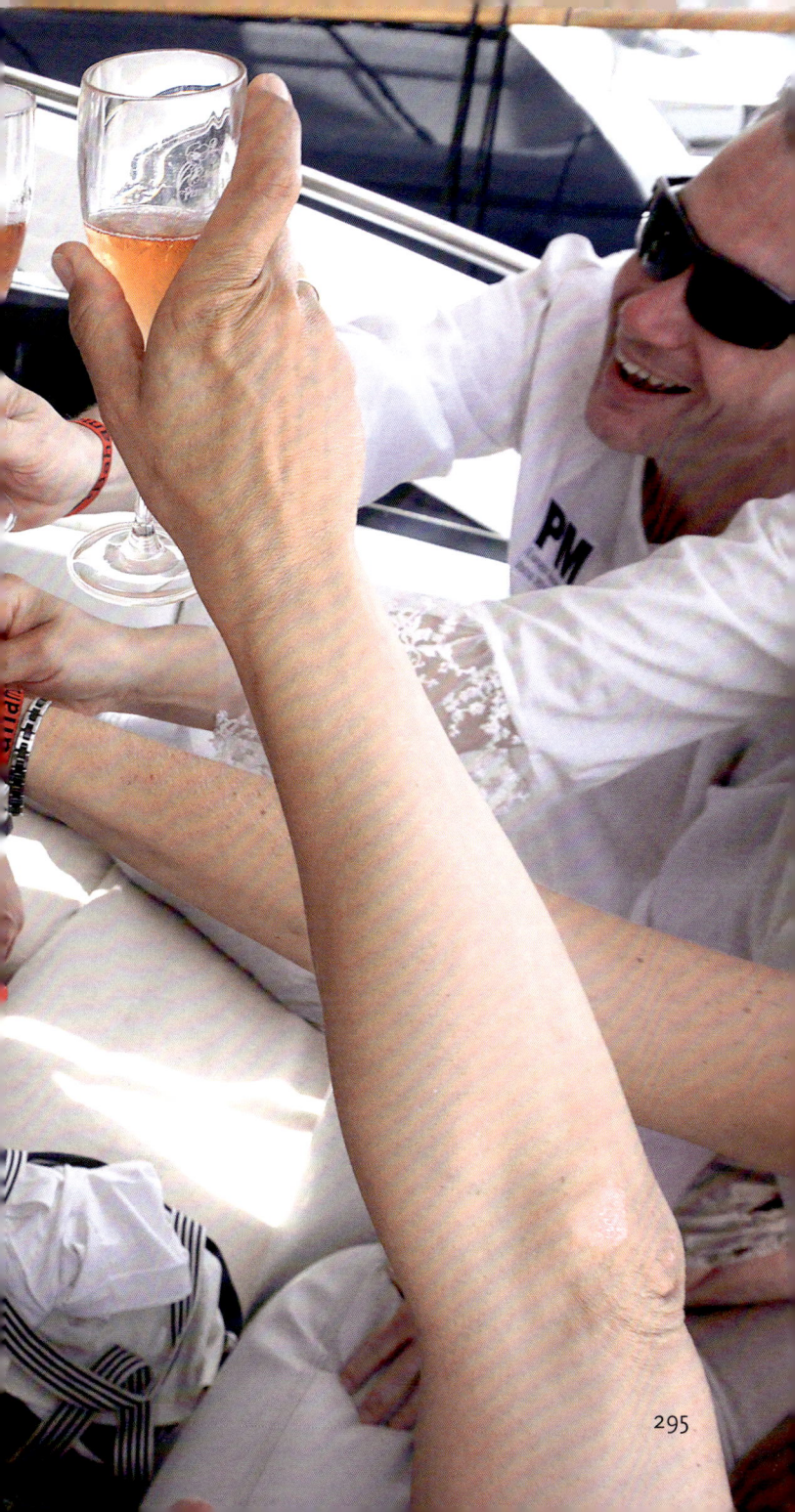

Viertägiges Reise-Incentive...

Aus Europa wird United

Nebeneffekt der dynamischen internationalen Ausrichtung war eine Namensänderung des Teams, ausgelöst von Rolf Sorg: „PM-Europa limitiert dich, beziehungsweise wird deinem Team nicht vollständig gerecht – ihr seid doch weltweit tätig." Kurzum: Aus dem PM-Europa-Team wurde 2018 das „PM-United-Team". Nicht zuletzt wegen der Asien-Geschäfte gründete Ralf Wünsch in den Vereinigten Arabischen Emiraten ein neues Unternehmen mit Sitz in Ras Al-Khaima. Die Rahmenbedingungen stimmten, die Wünsch-Maschine bei PM lief auf Hochtouren. Alle hätten noch mehr gepowert, vor allem Heike, sagt Ralf im Rückblick. Ein Erfolg: Das PM-United-Team war bis 2018 beständig in den Top 3 in Deutschland und Top 5 weltweit. Ein persönliches Highlight und Dankeschön an einen

Teil der deutschen Führungskräfte war von Heike und Ralf Wünsch ein viertägiges Reise-Incentive nach Ibiza noch im Mai 2017: „Vier Tage, von Heike und mir persönlich organisiert und bezahlt. Einfach grandios", sagt Wünsch. „Die Stimmung der insgesamt zwölf Teilnehmer war fantastisch, der Teamspirit groß, denn ein Highlight nach dem anderen wurde geboten – wir haben uns selber übertroffen!"

...nach Ibiza im Mai 2017.

KAPITEL NEUN

DIE WENDE

Bereits 2017 erzielten Heike und Ralf Wünsch mit ihren Teams in 13 Ländern der Welt einen Jahresumsatz von über 50 Millionen Euro. Wünsch war damals ganz der Visionär wie Rolf Sorg: Das nächste große Etappenziel liegt bei 100 Millionen Euro-Jahresumsatz, die Voraussetzungen sind geschaffen. In 2019 waren es 120 Millionen, im Jahr 2020 190 Millionen und in 2021 sogar 250 Millionen Euro Jahresumsatz.

Bei der Frage nach der Erfolgsformel nennt Wünsch den Vergleich mit der Immobilienbranche: „Bei Immobilien bestimmt die Lage die nachhaltige Wertigkeit. Im Network-Marketing bestimmen Coaching und Ausbildung, beginnend bei der Akquise bis zur Einarbeitung und dem Leadership, den dauerhaften Erfolg eines Vertriebspartners." Für Heike Wünsch kommt dabei der emotionale Aspekt dazu: „Alles ist gepaart mit einem gelebten Teamgeist, eigenen Veranstaltungen, Reisen, Wertschätzung und Belohnungen."

Das Familienengagement schlug sich weiter im steigenden Umsatz des PM-United-Teams nieder. 2018 war die nächste Stufe erreicht: Silver Champion's League. Wieder ein Höhepunkt, wieder eine Laudatio von Rolf Sorg, wieder eine Fete.

„Die Silver Champion's League war durch das kontinuierliche und nachhaltige Wachstum die logische Konsequenz, jedoch ursprünglich nie angestrebt", sagt er. Sein Ziel war auch ursprünglich nie, die Nr. 1 bei PM zu werden, so wie Joachim Heberlein, der dies

Der Bodensee-Kapitän.

auch immer aktiv kommuniziert hat, beziehungsweise auch Carsten Ledulé, der lange die Nr. 1 war und diese Position an Joachim Heberlein abgeben musste. Wünsch: „Mir war es wichtig, die Champion's League zu erreichen." Es nach seinen vielen Tiefschlägen noch einmal nach ganz oben zu schaffen und möglichste viele

aus seinem Team bei ihren Zielen zu unterstützen und zu bestätigen, so beschreibt er seine Motivation, und: Nachhaltigkeit bis zum Ende seines (Berufs-)Lebens, um nicht wieder von vorne anfangen zu müssen.

Andererseits sei es wichtig gewesen, ein gutes Ranking unter den TOP 10 zu belegen und als „Kür" 2018 die Stufe Silver Champion's League erklommen zu haben. Eine Botschaft ans Team, dass sie alle weiter erfolgreich seien. Und natürlich die wichtige Wertschätzung für Heike Wünsch, der er einen entscheidenden Anteil an dem Erfolg zuschreibt. „Ohne Heike wäre das nicht möglich gewesen." und: „Wir waren perfekt aufeinander abgestimmt."

Dass es für das Erreichen der Silver Champion's League ein Aktienpaket in Höhe von 150.000 Euro gab, sei am Rande vermerkt. Wünsch: „Bei einem steigen-

den Wert der PM-Aktie eine in allen Bereichen wertvolle Wertschätzung von PM und Rolf Sorg."

Der beständige Erfolg hatte aber auch ungewollte Nebeneffekte. Ralf Wünsch: „Wir haben uns immer mehr über das Geschäft definiert und waren eine grandiose Vertriebsgemeinschaft." Was in der Erinnerung nicht immer gut für die Beziehung gewesen sei.

Die erneute Ehrung und die damit verbundene Bestätigung des Erfolgs hatte für Ralf Wünsch auch mentale Folgen: „Ich hatte im Kopf für mich beschlossen, nach 28 Jahren Vollpower eine schöpferische Pause einzulegen, nicht mehr immer mit Vollgas durch das Leben zu gehen." Das klappte allerdings nur bedingt, denn Heike arbeitete weiterhin auf höchsten Touren. Immerhin waren sich die Wünschs einig, die seit 2004 eigenständig durchgeführten Business-Akademien im

Sinne des Wachstums an PM zu übergeben. Damit schloss sich auch dieser Kreis: Nach über 230 persönlich organisierten und durchgeführten Business-Akademien (von 2001 bis Ende 2017) fand die letzte Business-Akademie der Familie Wünsch in Hannover im Dezember 2017 statt.

Ein Ehemann, der sich im Rückzug befand und sich immer mehr seiner Leidenschaft Fußball widmete und eine Ehefrau, die diesen unerwarteten Rückzug versuchte aufzufangen – das waren nicht die besten Voraussetzungen für den Fortbestand des Erfolgsduos.

Dass das keine Geschichte mit gutem Ausgang werden sollte, war spätestens zu Beginn des Jahres 2020 deutlich. Das Krisenjahr, denn schon im Dezember 2019 gab es Meldungen über ein bis dahin unbekanntes Virus SARS-CoV-2, das in China entdeckt wurde. Die Corona-Viren verbreiteten sich bekanntlich schnell, sodass die Weltgesundheitsorganisation WHO am 11. März 2020 die Epidemie offiziell zu einer weltweiten Pandemie erklärte. Nur wenige Tage später war die Welt eine andere. Die Wirtschaft brach ein, die Menschen waren in Schockstarre, Unternehmen wie PM, die weltweit operierten und bis dato von den Kontakten und persönlichen Beziehungen ihrer Teampartner lebten, schienen nachhaltig getroffen und gelähmt. Dass PM allerdings nach drei Jahren Pandemie den Umsatz in nie erwartete Höhen treiben konnte, war unter anderem auch einer Entscheidung geschuldet, die bereits 2019 von Rolf Sorg getroffen worden war: PM TV wurde eingeführt – als On-line-Alternative zu den bekannten Veranstaltungen.

PM hatte den Turbo eingeschaltet und war weiter im Aufwind: 2019 erreichte das Unternehmen die erste Umsatzmilliarde und dann kam die Pandemie, allerdings ohne nennenswerte Schockstarre, denn mit der bestehenden Online-Struktur konnte die PM-Welt ohne große Probleme komplett ins Internet verlagert werden. Die PM-Vertriebsdirektoren Patrick Bacher und Sven Palla glänzten schon nach wenigen Wochen als Moderatoren der Online-Veranstaltungen, die nun auf allen Ebenen mit allen bekannten und bis dato unbekannten Möglichkeiten aufgelegt wurden: Von den großen Business-Akademien bis hin zu den nationalen Kongressen. Dem PM-Vertrieb mit seinen Führungskräften gelang ebenfalls ein nahezu reibungsloser Transfer ins Online-Marketing. Über Zoom wurden alle Meetings der täglichen Arbeitsmethode abgedeckt und beispielsweise mit Morning-Calls neue wichtige Online Meetings zur Aufrechterhaltung der Motivation von vielen Teams durchgeführt. Die Menschen hatten im Homeoffice mehr Zeit, viele mussten sich auch beruflich umorientieren, viele waren in Kurzarbeit oder verloren den Job. PM unterstützte bestmöglich und machte mit ihren Führungskräften aus der Krise einen Turbo in allen Bereichen mit massivem Wachstum. Ralf Wünsch war aber diesmal nicht federführend und überließ dies anderen, insbesondere seiner Frau Heike. „Das Online-Geschäfts war nicht das, womit ich groß geworden bin."

Mittlerweile war auch klar, dass die Ehe nicht mehr zu kitten war. Zu Beginn der Pandemie im Jahr 2020 trennte sich das Erfolgspaar privat und geschäftlich.

Dass Heike nur wenig später Ralf in einer schweren Zeit helfen musste, war bei der Trennung Anfang 2020 nicht abzusehen. Aber wer kann eine Krebserkrankung schon vorausahnen?

Die Krebs-Diagnose

20. November 2020. Mitten in der persönlichen Neuorientierung im Jahre 2020 gab es den Tiefschlag. Ralf war ausgezogen und wohnte nur ein paar 100 Meter entfernt von dem gemeinsamen Haus in einem schönen Appartement direkt am Bodensee-Hafen Bottighofen, aber auch gerne in dem mittlerweile erworbenen Haus in den Vereinigten Arabischen Emiraten. Den Tag wird er nie vergessen, das Telefongespräch mit seinem Arzt auch nicht. Am 20. November 2020 wurde ihm mitgeteilt, dass neun von zwölf Proben seiner Biopsie positiv waren. Prostata-Krebs. Wünsch: „20 Sekunden war ich geschockt, dann beschloss ich, den Kampf aufzunehmen." Schon am 9. Dezember 2020 wurde er operiert, ein Jahr dauerte es, bis die körperliche Fitness in allen Bereichen wieder hergestellt war. Oft unterstützt bei der Regeneration von Ex-Ehefrau Heike.

Aber nicht nur Ralf war danach wieder im Aufwind – auch das Unternehmen glänzte mit Umsatzrekorden: 2019 war die erste Umsatz-Milliarde erreicht, 2020 standen 1,7 Milliarden in der Bilanz und 2021 2,35 Milliarden Dollar. Zum Expansionskurs gehören Markteröffnungen in Ungarn, Portugal, Belgien, Indonesien, Bolivien und Afrika. Die Industrie- und Handelskammer (IHK) der Pfalz verzeichnet PM als „Hidden Champions" – als heimlichen Weltmarktführer.

PM-Ehrentisch in Dallas.

In der weltweiten Rangliste der Direktvermarktungs-
unternehmen, der „DSN Global 100"-Liste, ist PM
International in den vergangenen Jahren ständig nach
oben geklettert. Die Liste wird einmal jährlich vom
US-Fachmagazin „Direct Selling News" veröffentlicht.
2010 war PM erstmals in dem renommierten Ranking
unter den Top 100 vertreten, im Jahr 2021 mit Platz 9
unter den Top 10 weltweit. Am 20. April 2022 wurde
PM darüber hinaus zum zweiten Mal hintereinander
mit dem BRAVO Award ausgezeichnet, als das weltweit
am schnellsten wachsende Unternehmen im Direktvertrieb 2021. Mit dabei am Ehrentisch mit Vicki und
Rolf Sorg in Dallas/Texas: Ralf Wünsch. Er war immer
noch gefragt.

Epilog

Wir sitzen wieder im Garten des schmucken Reihenhauses von Ralf Wünsch in Ras Al Khaima in den Vereingten Arabischen Emiraten. Fast auf den Tag ein Jahr nach dem Start unseres Buchprojektes. Es waren im Laufe des Jahres viele, aber keinesfalls einfache Gespräche mit Ralf Wünsch. „Durchsetzungsstark bis hin zur Sturheit" hat Alexander Plath ihn beschrieben. Vermutlich wird niemand, der Ralf Wünsch kennt, widersprechen. Es war für ihn angesichts seiner privaten und gesundheitlichen Herausforderungen ein Jahr mit überschaubaren PM-Aktivitäten. An der Aktionärsversammlung in Luxemburg im Mai, dem Weltkongress im Juni und einer Business-Akademie hat er persönlich teilgenommen. Ab Juli 2022 war er mobil ohnehin zusätzlich eingeschränkt in seinem Handeln, denn endlich ließ er seine Knie operieren. Arthrose, Beinbegradigung und Knorpeleinsatz, die Fußball-Vergangenheit forderte ihren Tribut. Außerdem war der Gedanke an den gedrosselten PM-Motor immer noch aktuell.

Mit stabilen Knien nahm er Anfang Dezember am Leadership-Wochenende in Berlin teil. 1.800 Top-Management-Mitglieder aus aller Welt trafen sich im Estrel-Hotel, um nach fast drei Jahren endlich wieder den Geist von PM von der Bühne zu spüren. Auch bei der eine Woche später stattfindenden Weihnachts-Akademie in Fulda mit über 3.000 Teilnehmern war er mit dabei – beide Veranstaltungen blieben nicht ohne

*Neujahrsempfang
im Januar 2023 in Speyer.*

Wirkung. Schnell hat es Ralf Wünsch verinnerlicht:
Einer wie er kann nicht ganz ohne den regelmäßigen
Kontakt mit seinen Partnern und der PM leben. Er
organisierte als Dankeschön für die beiden vergangen
Pandemie-Jahre einen Neujahrsempfang mit seinen
deutschen Führungskräften nach dem Kick OFF 2023
am PM Logistic Center in Speyer.

Sein Ziel für 2023 war schnell skizziert: Zur World
Tour 2024 in Marrakesch will er sich qualifizieren –

das war auch die Botschaft, die er im Januar an seine Führungscrew in Speyer gab. „Ich bin wieder da." Und wie: Von Mitte Mai bis Mitte Oktober 2023 will er eine Road-Show durch Deutschland, Austria und der Schweiz starten. Ralf Wünsch kommt nicht mit leeren Händen. Er wird neben seinen Erfahrungen und Tipps auch Bücher mit im Gepäck haben. Seine Biografie: „Von ganz unten nach ganz oben."

Alleine die Vorfreude macht die Augen leicht glasig. Bevor wir beide das Ende unseres Buchprojektes feiern können, muss Ralf ein Telefongespräch annehmen. Minuten später kommt die telefonisch angekündigte Einladung per Mail:

Lieber Ralf,
2022 war ein weiteres ganz besonderes und historisches Jahr für PM International. Wir haben es wieder getan. Wir haben 2022 ein Umsatzvolumen von 2,55 Milliarden Dollar erreicht. Dies wird sich sicherlich in der „DSN Top 100 Awards Ceremony" widerspiegeln, wo wir unsere neue Platzierung unter den Top-Unternehmen erleben werden. Es wäre mir eine Ehre, wenn Du an der Preisverleihung am 18. April 2023 in Dallas/ Texas. teilnehmen würdest...
gez. Rolf Sorg

Die Einladung nach Dallas wird zu einem weiteren emotionalen Höhepunkt im Leben von Ralf Wünsch bei PM. Einen schöneren Abschluss für diese Biografie kann es nicht geben.

KAPITEL ZEHN

STATE-
MENTS

Ulrike Wünsch

„Er kann begeistern"

Ulrike Wünsch
(Ex-Ehefrau, President's Team)

Ich war 14 Jahre als Partnerin an Ralf Wünschs Seite. Wir haben einen Sohn und sechs Enkelkinder. Als Ehefrau und Mutter habe ich zu Beginn von Ralfs Fitline Karriere noch in einer Zahnarztpraxis gearbeitet und ihm den Rücken für seine Arbeit freigehalten.

In unser Haus luden wir Freunde und Bekannte ein, die von Ralf mit Begeisterung die Fitline-Produkte und das Geschäft vorgestellt bekamen. Somit waren die Familie und das Geschäft automatisch miteinander verknüpft. Zu dieser Zeit ist Ralf unglaublich viele Kilometer zu Terminen gefahren. Keine Treffen, kein Urlaub verging ohne ein Gespräch über unser Geschäft. Wir haben unseren Sohn sehr häufig zu Geschäftsterminen und Veranstaltungen mitgenommen. Dadurch hatten wir weniger private Zeit für die Familie.

Ralf sprüht vor Ideen, ist unglaublich schnell in seinem Denken. Es fiel ihm leicht, Entscheidungen zu treffen und danach zu handeln. Seine Ideen in die Tat umgesetzt, erwuchs daraus ein tolles Ausbildungskonzept, was viele Teampartner begeisterte und das sie schnell und erfolgreich umsetzen konnten.

Für erfolgreiche Arbeit hat er gerne Lob und Anerkennung, in Form von lobenden Worten, Überraschungen und Geschenken, an seine Teampartner weitergegeben. Ihm selbst sind Lob und Anerkennung auch sehr wichtig. Da Ralf von anderen das erwartet, was er selbst auch tut und er oft nicht so geduldig ist, konnte so manches Mal ein ungemütliches Gespräch mit ihm entstehen. Dann dauerte es eine Zeit, bis sich die Gemüter beruhigt hatten und dann war bei der nächsten Gelegenheit auch der Friede wieder möglich.

Ralf ist sehr lösungsorientiert, immer schon zwei, drei Gedankengänge voraus, wovon unsere Familie und auch alle Geschäftspartner oftmals profitierten. Er hat es einfach geschafft, die Menschen mit seiner Art zu begeistern, in ihnen Träume und Visionen zu wecken. Er selbst ist in der Vergangenheit erfolgreichen Menschen gefolgt und hat sich die für ihn passenden Dinge herausgepickt, um seinen eigenen effizienten Stil zu entwickeln.

Für keine Arbeit ist er sich zu schade, hat auf seinen Veranstaltungen immer mit angepackt, vom Aufbau bis zum Abbau. Zudem kannte er die Fähigkeiten seiner Leute und hat vieles geschickt delegiert. Dadurch konnten wir hervorragende und sehr professionelle Veranstaltungen genießen, die auch von anderen Organisationen der PM International sehr gerne besucht wurden. Hier zeigte sich Ralfs Großzügigkeit, dass auch diese von seinem Know-how profitieren konnten.

Ralf hatte von Anfang an das klare Ziel, die Stufe „Champion's League" zu erreichen. Ich freue mich für ihn, dass er als „Silver Champion's League" dieses Ziel noch übertroffen hat. Ich wünsche ihm von Herzen, dass er seinen Erfolg genießen kann.

„Ein echter Mentor"

Andreas Michael Gutekunst

Andreas Michael Gutekunst (Champion's League)

Einen absolut besten Einfluss im Business Network-Marketing – genau das hat Ralf Wünsch auf sein Team!

Neuen Teampartnern gibt er für die ersten Tage im Networking eine präzise Anleitung und eine Marschrichtung vor. Mit seiner nicht einholbaren Erfahrung unterrichtet er sein Team in den so entscheidenden und wichtigen To-do's und steht auch jetzt noch seinen Führungskräften jederzeit mit Rat und vor allem Tat zur Seite. Und genauso kennt man Ralf: ehrlich, empathisch, fair, gewissenhaft, leistungsbereit, organisiert, sorgfältig, sportlich, unternehmerisch, verantwortungsbewusst, zuverlässig und vieles mehr – eben ein echter Mentor.

„Ein Kerl mit Ecken und Kanten"

Daniel Schult- Kump,
(Gold President's Team)

*Daniel
Schulte-Kump*

Ich schätze Ralf und seinen Ehrgeiz, sein Kämpferherz und seine Beharrlichkeit sehr. Damit ist er für mich ein absolutes Vorbild und das nicht nur bei PM, sondern auch in allen anderen Bereichen des Lebens und Geschäftslebens. Glück oder Segen? Meiner Auffassung nach ist es ganz klar Segen. So eine Eigenschaft ist der Schlüssel für das gesamte Leben. Ralf ist ein Kerl mit allen Ecken und Kanten eines Machers. Ein Kerl mit einem riesigen Herzen und einer Schlagkraft wie eine Dampflock. Er tut die Dinge, die getan werden müssen, mit Konstanz und Beharrlichkeit.

Sein Fokus und sein Wille sind neben der Beharrlichkeit die zwei weiteren entscheidenden Dinge, die Ralf für mich ausmachen. Natürlich ist es mit Ralf nicht immer einfach, jedoch ist er in vielen Fällen viel zu gut für diese Welt. 16 Jahre gehen wir nun einen gemeinsamen Weg mit PM und auf dieser spannenden Reise lernt man viele Aspekte kennen, die jemanden ausmachen. Seine Zielstrebigkeit und der Wille eines Stieres haben ihn in den letzten Jahrzehnten zu einem der besten Networker gemacht, die ich kenne. Ecken und Kanten machen Führungskräfte aus und wenn man diesen gewachsen ist, kann man mit Ralf einen Weg bis an die Spitze gehen.

Sein Ehrgeiz in allen Ehren ist Fluch und Segen zugleich. Seine Geschäftspartner haben es nicht immer einfach mit ihm, jedoch hilft ihm das Reden und auch die Beharrlichkeit. Man findet immer eine Lösung und ein offenes Ohr für die Herausforderung, die vor einem liegt. Ralf hat so unglaublich viel Know-how als Leader und das Herz mehr als am rechten Fleck.

Für mich ist Ralf eines der größten Vorbilder bei PM, was den Aufbau eines soliden und beständigen Geschäftes angeht. Diese Beharrlichkeit, sein Ehrgeiz, seine Leidensfähigkeit, sein Kampfeswillen, seine Strukturiertheit und die Fähigkeit, mit Fokus an einem Ziel zu arbeiten, ist für mich absolut bewundernswert, um mit absolutem Willen und westfälischer Bodenständigkeit zum gewünschten Ziel und Erfolg zu kommen.

„Ralf ist immer Teamplayer geblieben"

Dirk Lorenz
(Gründungsmitglied,
Gold President's Team)

Dirk Lorenz

Ich kenne Ralf schon über 30 Jahre. Er musste schon früh Verantwortung in der Familie übernehmen. Das hat ihn geprägt. In der Zeit danach hat er viele Krisen bewältigt und er hat mehrfach bewiesen, in unterschiedlichen Unternehmen, gegen alle Widerstände, immer wieder die Spitze des Vertriebssytems erklimmen zu können. Das nenne ich durchsetzungsstark, sicherlich nicht immer einfach oder „Everybody's Darling". Getreu dem Motto: nur den Starken folgt man, die Schwachen sind vielleicht beliebter, aber keine Leader.

Ralf steht dafür, mit aller Konsequenz und Leidenschaft ein Ziel zu erreichen. Dabei ist er immer Teamplayer geblieben, dies hat er als Fußballer gelernt. Teamwork makes the Dream work. Obwohl er nicht der talentierteste Fußballer war, war er doch einer der erfolgreichsten. Weil er trainierbar war und immer ehrgeiziger trainiert hat als seine Mannschaftskollegen, die vielleicht talentierter waren als er. Diese Learnings hat er nie vergessen. Gewinner denken anders. Immer einmal mehr aufstehen, als du hingefallen bist. Jeder Rückschlag lehrt dich mehr als jeder leichte Erfolg. Der Weg ist das Ziel und zusammen mit seiner Frau Ulrike ist Ralf auf eine einmalige Reise mit der Firma PM International gestartet. Einmal geglüht auf Ibiza bei der Geschäftspräsentation mit seinem Mentor Franz, hat er dieses Glühen oder brennendes Verlangen in seiner Karriere nie verloren.

Er ist Profi-Networker und hat seinen letzten Schliff durch die internen und sehr intensiven Jahre mit Rolf Sorg bekommen. Wir haben ihm sehr viel zu verdanken, unter anderem die ersten Business Akademien oder Homeparty-Konzepte, viele entscheidende Meilensteine für PM.

Mit seiner neuen Partnerin Heike schaffte er in einer unglaublich kurzen Zeit eine beeindruckende Karriere. Ein wichtiger Fakt ist seine Fähigkeit der Ziel-Visualisierung. Bevor er seine Ehrung zur Champion's League erlebt hat, hat er seine Ehrung x-mal im Traum durchlebt und als es dann soweit war, wurde ausgiebig gefeiert, so wie es zu seinem Leben dazu gehört.

Jetzt hat er wieder mit diesem Buch vorgelegt. Ich bedanke mich für die gemeinsame Zeit und die große Unterstützung von allen Partnern und Freunden. Dieses Buch soll Mut machen, es Ralf nachzuahmen.

Liebe Fitliner, denkt immer daran, es ist einfach. Entscheidend ist: „Der Wille, es zu tun."

Claude Simon

„Ein Vorbild nicht nur für mich"

Claude Simon
(Platin President's Team)

Den Menschen Ralf Wünsch macht aus, dass er trotz des immensen Erfolges, welchen er sich über die Jahre aufgebaut hat, immer noch sehr bodenständig geblieben ist. Er ist menschlich eine Bereicherung und man kann auch abseits des geschäftlichen Erfolges immer Spaß mit ihm haben. Vor allem aber die Menschlichkeit ist einer der größten Faktoren, die seinen Erfolg markieren, da er sowohl in guten als auch in schweren Zeiten einem immer zu Seite steht.

Ralf Wünsch ist für mich einer der integersten Menschen, die ich in meinem bisherigen Leben kennenlernen durfte. Loyalität, Fokus, Disziplin, Ausdauer, Leidenschaft sind nur einige der Eigenschaften, die für den Namen Ralf Wünsch stehen – und zugleich darf natürlich der Spaß mit Lob und Anerkennung nicht zu kurz kommen. Kurz gesagt, in vielen Belangen ist Ralf ein Vorbild, nicht nur für mich.

„Ein Freund, der immer da war"

Heinz Korte
(Bester Freund aus Ahlen)

Heinz Korte

Ich kenne Ralf Wünsch aus dem Vereinsfußball unserer Heimatstadt Ahlen insgesamt seit mehr als 45 Jahren. Obwohl wir auf Vereinsebene nie in einer Mannschaft gespielt haben, begann vor fast dreißig Jahren eine wunderbare Freundschaft.

Ich habe die Anfänge und viele Rückschläge, aber auch seine Erfolgsgeschichte miterlebt. Sicherlich hat er sich da auch verändert, aber er ist zugleich immer noch der Mensch geblieben, der mir damals über den Weg gelaufen ist. Ein knallharter Unternehmer, der nie aufgab, aber mit Führungsqualitäten, und ein Freund, der immer da war, wenn man ihn brauchte.

Felix Jackson

„Papa mit einem großzügigen Herzen"

Felix Jackson
(Sohn, Unternehmer)

Ich bin stolz auf die Leistung meines Papas. Ich bin Felix Jackson, glücklich verheiratet und lebe mit meiner Frau und unseren sechs wundervollen Kindern in Texas. Seine außerordentliche Disziplin, sein großzügiges Herz und seine Art, Menschen für das Geschäft zu begeistern, sind einmalig. Von klein auf nahm er mich mit zum Pulloververkauf, ob nun als Verkaufsargument für die älteren Damen oder warum auch immer; heute weiß ich, dass ich dadurch gelernt habe, wie man gut verkauft. In den Anfängen als Vertriebsleiter bei PM International war seine Hingabe für das Geschäft nicht zu übersehen. Letztendlich hat ihn diese dazu bewegt, eine mutige und lebensverändernde Entscheidung zu treffen, seine Karriere ganz von vorne als Teampartner neu zu beginnen. Mit dem Start im aktiven Vertrieb sah ich, wie er in andere Menschen investierte, die Führungsposition übernahm und ihnen auf den Weg zu eigenständigen und erfolgreichen Networkern half. Heute hat er sein anfängliches Ziel mit der Silver Champion's League weit übertroffen, von ganz unten nach ganz oben. Zum Schluss möchte ich Danke sagen, für sein großzügiges Herz, dafür dass er an uns glaubt und die Unterstützung als Papa, Schwiegerpapa und Opa.

„Trotz des Erfolgs immer auf dem Boden geblieben"

Guido Buch
(PM-Vertriebsdirektor
Osteuropa und Gründungs-
mitglied)

Guido Buch

Ralf kam im Jahr 2000 als Vertriebsleiter Deutschland zu PM,
davor war er unter anderem bei
einem unserer größten Mitbewerber unter Vertrag. Als Gründungsmitglied weiß ich, dass die ersten drei
Jahre bei PM für ihn definitiv eine harte
Zeit waren, wenn nicht sogar mit die här-
teste. Das Ansehen von Personen, die damals
von dieser Firma kamen, waren vergleichbar mit einem
Feindbild aus der Zeit des Kalten Krieges.

Man muss dazu wissen, das zu dieser Zeit Rolf Sorg
noch sehr tief in den Vertriebsangelegenheiten invol-
viert war, speziell denen in Deutschland. Auf der einen
Seite waren es sicherlich die härtesten Jahre für Ralf,
auf der anderen Seite die beste Schule, die der er bekommen konnte.

Als Ralf Wünsch dann 2003 als Vertriebschef immer
höhere Schecks für die Teampartner unterschreiben

durfte und musste, kam eines Tages die Erkenntnis bei ihm: „Was die können, kann ich auch" – deswegen hatte er Rolf Sorg erfolgreich gebeten, ihm im Vertrieb eine Karriere als Teampartner zu ermöglichen. Das wurde dann am 1. Januar 2004 umgesetzt.

Ralf hat dann ziemlich schnell die Karriereleiter bei PM erklommen, was mich ehrlich gesagt auch nicht verwundert hat. Seine absoluten Stärke war das Aufbaukonzept von Veranstaltungen – ob es Managertrainings, Business Akademien oder Führungskräfte-Trainings waren.

Diese hat er zu dieser Zeit wie kein anderer in Perfektion umgesetzt.

Wenn mich heute jemand fragen würde, was der Schlüssel des Erfolges von Ralf Wünsch war, dann ist die Antwort klar: Definitiv die in einer Perfektion von Anfang bis zum Ende strukturierte und organisatorische Umsetzung einer Veranstaltung.

Ralf ist einer der am besten integrierten Geschäftspartner, der in den letzten 30 Jahren von einem anderen Unternehmen zu PM gekommen ist, er lebt die Werte der PM International zu 110 Prozent Tag für Tag. Gleichzeitig versteht er die Balance zu halten – einerseits harte Arbeit, andererseits das Leben zu genießen.

Mein Fazit zu Ralf: Er ist immer hilfsbereit zu anderen Geschäftspartnern und trotz seines Erfolges immer auf dem Boden geblieben. Ralf ist einer der starken Säulen des Erfolges der PM International.

Das Interview mit Ralf Wünsch zum Schluss:

„HART ABER FAIR:
22 FRAGEN
DES BIOGRAFEN

Ralf, wir sitzen jetzt nach einem Jahr und gefühlt dreißig langen Gesprächen wieder in deinem Haus in der Nähe von Dubai. Das könnte bei unserer Leserschaft den Eindruck erwecken, dass du dich in dieser Schicki-Micki-Welt besonders wohlfühlst. Was aber ein Trugschluss ist, denn eigentlich gibt es für dich nur einen Wohlfühlort. Richtig?

Vermutlich meinst du die Tribüne vom Effzeh, was aber auch ein Trugschluss ist. Wenn du genau zugehört hättest, dann wüsstest du, dass ich Bayern-Fan bin. Also hättest du nach der Tribüne bei den Bayern fragen müssen. Aber ungenaue Fragen bin ich ja gewohnt.

Der Ralf Wünsch mit Fan-Schal und Dosenbier im Fußballstadion und gleichzeitig der Ralf Wünsch beim Champagner in der Emirates-First-Class nach Dubai. Sind das die Gegensätze deines Lebens?
Wieso Gegensätze? Mein Leben ist schon immer so vielfältig, dass ich alle Facetten des Lebens genießen kann. Alles zu seiner Zeit in der entsprechenden Atmosphäre.

Also der Straßen-Fußballer in der Welt der Reichen und Schönen?
Auf so ein Vergleichs-Niveau begebe ich mich nicht. Warum soll ein Straßen-Fußballer sich nicht auch an einem Glas Champagner erfreuen können? Wobei ich ehrlicherweise immer noch eher der Biertrinker bin. Oder anders gesagt: Ich weiß, woher ich komme und das habe ich und werde ich nie vergessen. Es gibt Werte des Lebens, die für mich eine große Bedeutung haben.

Gehört Demut als Tugend dazu?
Unbedingt, ich bin mit Blick auf meine Lebensleistung sehr demütig. Ich weiß, wem ich viel zu verdanken habe.

Na, ganz so viele dürften das bei dem Erfolgsmenschen Ralf Wünsch wohl nicht sein?

So wie du das sagst, klingt es eher abschätzig. Also, zu dem Erfolgsmenschen stehe ich, denn wer im Leben Erfolg hat, darf sich auch als Erfolgsmensch sehen. Das aber nur am Rande. Tatsächlich habe ich vielen Freunden und Kollegen viel zu verdanken, die Betroffenen wissen das. Wertschätzung für meine Mitstreiter war und ist mir sehr wichtig. Empathie leben – auch diese Tugend lag mir immer sehr am Herzen.

Jetzt wird weichgespült, gefällt mir gar nicht, deswegen frage ich anders: Gibt es außer Rolf Sorg einen Menschen, zu dem Ralf Wünsch aufblickt?
Die Frage ist falsch gestellt…

Sorry, mein Lieber, ich stelle Fragen, du gibst die Antworten. Falsche Fragen gibt es bei mir nicht…
…aber anscheinend doofe Fragen. Aber die bin ich seit einem Jahr gewohnt. Wer sagt, dass ich zu Rolf Sorg aufblicke? Das beschreibt unser Verhältnis in keiner Weise. Ja, für mich ist Rolf ein Visionär, der mit vielen klugen Entscheidungen und viel Einsatz aus PM ein Welt-Unternehmen gemacht hat. Das ist eine einmalige Lebensleistung, von der ganz viele Menschen profitieren, auch ich. Wir achten uns, wir respektieren uns und wir begegnen uns mitunter auch freundschaftlich. Aber wie ich das im Buch auch gesagt habe: Ich wusste und weiß zu jeder Zeit, wer der Chef ist. Aufblicken würde ich das nicht nennen.

Dann stelle ich die Frage anders: Wem hast du viel zu verdanken?

Diese Frage ist gut, aber schwierig zu beantworten, denn wenn ich jetzt Namen nenne, laufe ich Gefahr, die zu diskreditieren, denen ich auch viel zu verdanken habe. Deswegen nenne ich nur einen Namen: Franz Brandmüller. Er war mein Mentor, mein Sponsor, mein Inspirator, mein Förderer schlechthin. Ohne ihn wäre ich nicht da, wo ich heute bin. Er hat mich zu PM gebracht, er hat immer an mich geglaubt. Leider ist er an einem Herzinfarkt so plötzlich verstorben, dass ich mich nicht bei ihm bedanken und verabschieden konnte. Das tut mir unendlich leid.

Du könntest aber auch einen Menschen nennen, der vermutlich gar nicht weiß, dass ein Ralf Wünsch ihm viel zu verdanken hat?

Aha, der Wolfgang hat aufgepasst, ja da gibt es nur einen: den „Kleinen mit der Brille".

Der hat dich schwer beeindruckt?

Uneingeschränkt ja. Letztlich hat der mir gezeigt, dass es im Network-Marketing nicht auf Aussehen oder Herkunft ankommt. Der „Kleine mit der Brille" war völlig unscheinbar, er war keiner, nach dem sich irgendwer oder irgendeine umgedreht hat, aber seine Augen leuchteten bei jedem Satz, sein brennendes Verlangen war ansteckend. Ganz ehrlich, als ich den bei der Weiberfastnacht getroffen hatte, wusste ich, was ich bisher in diesem Geschäft falsch gemacht hatte. Was der „Kleine mit der Brille" kann, müsste ich doch auch können. Das ist für mich ein Stückweit zu einer Lebenseinstellung geworden.

Es gibt nicht wenige in diesem Buch, die den unbedingten Willen des Ralf Wünsch immer wieder betonen. Manche nennen es auch Besessenheit. Kannst du das nachvollziehen?

Sicher. Wobei mir der unbedingte Wille lieber ist als die Besessenheit. Aber wenn andere das so sehen, kann und will ich nicht widersprechen. Ich glaube, dass Besessenheit dazugehört, um im Network-Marketing ganz nach oben zu kommen. Wobei mir der Begriff Besessenheit nicht gefällt. Du hast deine letzte Biografie im vergangenen Jahr betitelt: „Optimismus ist auch eine Entscheidung". Mein Leitspruch wäre: „Konsequenz ist auch eine Entscheidung".

Sagen wir es so: Wenn Ralf Wünsch ein Ziel hat, dann ordnet er dem ganz viel unter, auch wenn es Nachteile für ihn selbst hat und er sich mitunter auch Mitstreiter in seinem Leben vergrault.

Das ist so. Mit zunehmendem Alter wird mir das immer bewusster, aber ich bin weit davon entfernt, das als Nachteil zu bezeichnen.

Was würdest du in der Rückschau des Lebens anders machen?

Einiges, aber das zu beurteilen ist mit dem heutigen Blick nicht redlich. Ich habe in meinem Leben Entscheidungen getroffen, die ich zum jeweiligen Zeitpunkt unter den jeweiligen Umständen als richtig ansah, auch wenn sie im Nachhinein falsch waren. Wichtig war und ist für mich immer, dass ich aus den falschen Entscheidungen Schlüsse gezogen habe. Ich habe keinen Fehler zweimal gemacht. In meinem Leben war und ist wichtig, dass bei der Abwägung die richtigen Entscheidungen überwiegen.

Du sagst immer, dass PM die Chance deines Lebens war. Nach der Lektüre dieses Buches würde ich zu dem Ergebnis kommen, dass PM deine letzte Patrone war. Richtig?

Das ist keine Frage, das ist eine Feststellung. Dazu stehe ich. PM ist ein unglaubliches Unternehmen, PM ist Erfolg, PM ist ein Erlebnis, PM ist eine große Familie, PM ist mein Leben. Ganz einfach. PM war ein Glücksfall, denn es ist ein unglaubliches Unternehmen, mit einem Visionär an der Spitze, patentierten Weltklasse-Produkten und einem einmaligen Vertriebskonzept im größten Wachstumsmarkt des 21. Jahrhunderts.

So, Ende des Werbeblocks, es geht weiter mit den richtigen Fragen. Du kommst aus Enniger, du bist in Ahlen aufgewachsen, wohnst in der Schweiz am Bodensee und hast ein Haus in den Vereinigten Arabischen Emiraten. Wo ist deine Heimat?

Der Begriff Heimat bedeutet mir nicht sonderlich viel. Soll ich ehrlich antworten?

Wenigstens einmal, ich bitte darum.
Heimat ist für mich da, wo ich mich zum jeweiligen Zeitpunkt wohlfühle. Das bedeutet, dass ich mich an vielen Orten in dieser Welt heimisch fühle.

Wir haben im Laufe unserer Gespräche die Message des Buches korrigiert, ursprünglich sollte es eine Biografie von Ralf Wünsch werden, jetzt ist es nach den Wünschen des Herrn Wünsch neben den biografischen Inhalten auch eine Anleitung zum Network-Marketing geworden? Warum?
Weil ich im Laufe unserer Gespräche gemerkt habe, dass ich immer noch für das Network-Marketing mit Fitline und PM nach wie vor brenne und mit meinem Wissen und meiner Erfahrung vielen Teampartnern helfen kann. Dieses brennende Verlangen ist die wichtigste Voraussetzung für den Erfolg. Wobei der Erfolg nicht nur im Einkommen gemessen werden darf, die Zufriedenheit meiner Teampartner und unserer Kunden ist weitaus wichtiger. Daraus können wir Kraft und Motivation schöpfen, der Bonusscheck ist dann die Belohnung. Wer nur den monatlichen Bonus im Blick hat, arbeitet mit der falschen Motivation.

Was soll, was wird dein Leben noch bringen?
Ich weiß seit meiner überstandenen Krebserkrankung,

wie schnell sich die Parameter des Lebens verändern können. Insofern kann ich nur hoffen, dass ich auf der gegenwärtigen Welle meines Lebens noch lange und vor allem gesund segeln kann.

Gibt es Wünsche von Ralf Wünsch?
Das habe ich doch gerade eben beantwortet.

Bei wem musst du dich noch entschuldigen?
Bei allen, bei denen ich möglicherweise im Übereifer oder meiner nachgesagten Besessenheit den falschen Ton gewählt habe.

Also bei mir?
Nö, Du kannst dein Honorar ja als Schmerzensgeld werten.

Welche Überschrift würdest du deinem Leben geben?
Du erwartest jetzt sicher Antworten, wie „Immer auf der Überholspur" oder „Glück hat nur der Tüchtige". Sage ich nicht. Aber wenn jemals eine Biografie über mich geschrieben werden sollte, würde ich die so betiteln: „Von ganz unten nach ganz oben".

Mein Wort am Ende:

DANKE.

Wolfgang Stephan
im Gespräch mit **Frank Albrecht**

OPTIMISMUS
ist auch eine
ENTSCHEIDUNG

„Wenn Sie einmal anfangen zu lesen,
können Sie einfach nicht mehr aufhören."
(Rüdiger Grube)

„Es ist die Biografie eines Mannes
mit Ecken und Kanten."
(Hartmut Mehdorn)

„Ein Mann, heimatverbunden,
ehrlich, streitbar"
(ABENDBLATT)

Erhältlich im Buchhandel
und online unter:
www.mce-verlag.de